D1262890

1789

CAHIERS DE DOLÉANCES DES FEMMES

ET AUTRES TEXTES

1789
CAHIERS DE DOLÉANCES DES FEMMES

ET AUTRES TEXTES

préface de
MADELEINE REBÉRIOUX

introduction de
PAULE-MARIE DUHET

Publié avec le concours du
Centre National des Lettres

des femmes
Antoinette Fouque

Nouvelle édition augmentée
Recueil, préface et introduction

6, rue de Mézières, 75006 Paris
ISBN : 2-7210-0381-X

Nous remercions
Paule-Marie Duhet et Mona Ozouf
de leur enthousiasme et de leur aide
pour cette publication
Les éditrices

PRÉFACE

FEMMES ET CITOYENNETÉ

En ont-elles dit, en ont-elles fait, les femmes pendant la Révolution française ! On en discute en cette année du Bicentenaire. On en discutera lors du colloque mondial de Toulouse entre le 12 et le 14 avril 1989. La mise à jour des connaissances et des réflexions a commencé. Au cours des quelque deux cents colloques organisés depuis quelques années, il est arrivé – rarement, mais enfin... – que la voix des citoyennes de 89 à 95 se fasse entendre. Grâce aux volumes publiés en 1982 par Edhis, le corpus des textes accessibles s'est beaucoup élargi. Dans le temps surtout : la Législative, la Convention sont entrées dans la danse. Dans les références culturelles aussi : *« Née avec le courage d'une Romaine et la haine des tyrans »*, ainsi se présente, à la barre de la Législative, Claire Lacombe, digne sœur de ceux pour qui l'Antiquité fut une source exceptionnelle d'espérance politique. Elargi enfin dans l'expression des attentes populaires : *« Après quatre ans de malheur, nous voulons des preuves »*, voilà ce que les citoyennes républicaines révolutionnaires viennent, au cœur de l'été 1793, dire à la Convention. Surtout, des travaux neufs ont vu le jour, voués non plus aux seuls discours mais aux pratiques naguère encore délaissées. Les femmes patriotes en ont bénéficié, davantage encore la sans-culotterie féminine. D'Elisabeth Guibert-Sledziewski, la juriste philosophe, à Arlette Farge et à Dominique Godineau, les historiennes, d'Annette Rosa à Elizabeth Roudinesco, des connaissances neuves, des interprétations originales et mieux fondées se sont multipliées. Nous pouvons aujourd'hui en tirer parti sans rien renier de ce qu'ont écrit les pionnières.

Vous voici donc mieux connues, ô femmes qui avez vécu la période désignée hors de France comme *« la grande Révolution française »*. La sociabilité salonnière où telles d'entre vous, les plus huppées, avaient triomphé pendant les décennies précédentes, vous n'y avez pas renoncé. Les lois de la conversation, les règles de la politesse, vous êtes assez nombreuses à continuer de les faire respecter au cœur des débats de plus en plus politisés et que vous avez, sans toujours le vouloir, contribué à politiser sous le manteau de l'enjouement et de la civilité. La jeune Madame de Staël, la jeune Madame de Condorcet qu'Elisabeth et Robert Badinter nous ont aidés à redécouvrir ouvrent leur salon à la même heure ou peu s'en faut, trois ou quatre ans avant l'an 89. Celui de Sophie, rivale en ce point de Manon Roland, ne se fermera guère avant le printemps 93. Moins de lectures littéraires désormais, moins de jeux dans les mots, davantage d'ardentes convictions. Mais, même aux plus hardies, il faut du temps pour ne pas se cantonner dans les confidences, ne pas se limiter aux conseils qu'on prodigue au guerrier : *« Les femmes doivent inspirer le bien et nourrir, enflammer les sentiments utiles à la patrie, mais non paraître concourir à l'œuvre politique »*, c'est Manon qui l'écrit en avril 1791, ce pourrait être Sophie.

Salon ou pas – en règle générale : guère de salons –, le patriotisme au féminin s'épanouit de 1789 à 1791. Curieusement, nous en cernons moins mal la mouvance en province qu'à Paris. Une trentaine de clubs strictement féminins au moins – on espère en découvrir une cinquantaine – apparaissent : à Dijon dès 89, un peu plus tard à Aunay et à Civray, à Ruffec, à Cusset et à Bordeaux, à Marseille et à Nantes : toute une géographie, encore bien incomplète, à explorer. Des femmes d'avocats et de médecins, d'hommes de loi et de commerçants, d'officiers municipaux – on aimerait pouvoir apprécier la participation des sages-femmes, ce nouveau métier, et des marchandes de modes en place depuis plus longtemps – commentent les journaux et les lois, proposent les éléments d'une société régénérée, préparent leur participation aux fêtes de la Fédération, vont saluer les évêques constitutionnels. Amies de la Constitution : ainsi se dénomment-elles souvent ces femmes à qui la Constitution justement refuse le droit de vote. Et de proposer qu'à l'exception des pauvres, chacun donne, pour faire disparaître le déficit, une somme proportionnelle à ses revenus : ainsi renaîtra *« l'harmonie dans tous les cœurs français »*. Et de suggérer aux femmes artistes et orfèvres que, pour *« sauver la nation, soient sacrifiées les parures frivoles »*.

C'est assurément aux femmes du peuple – eh oui ! – que sont allées ces dernières années les recherches les plus neuves, les plus substantielles. A ces femmes quasi anonymes dont les archives policières elles-mêmes, pourvoyeuses de fiches inquisitoriales, perdent un jour la trace. Retour aux travaux du ménage, à la monotonie du gagne-pain, départ au loin, mort solitaire, des silences soudains, sur lesquels bute toute une vie, légitiment toutes les hypothèses. Composante féminine du petit peuple de Paris à la veille de la révolution, elles participent à sa marche, mais à leur pas. Dominées, certes : quelle femme ne l'est pas ? et elles, donc, ô combien ! Mais aussi, autonomes, actives, créant leur existence sans renoncer pour autant à assurer la subsistance de la famille. Si la révolution, en dehors de quelques grandes figures, n'est pas exclusivement une histoire d'hommes, on le leur doit largement. Dans leur vie en tout cas, elle a dû apparaître comme une source de ressentiment peut-être – le pain cher, le fils blessé, le mari, qui sait ?, emprisonné – mais plus sûrement comme un moment de conscience et d'action, d'action et de conscience : une aggravation, souvent, de leurs soucis, mais aussi une de ces ruptures existentielles dont s'empare plus tard le souvenir. Quel dommage vraiment que ni Michelet ni Louis Blanc n'aient cherché à retrouver Françoise Dupont, la blanchisseuse de linge fin, Marie-Marguerite Bardot, la mercière de détail ou la pâtissière Geneviève Gauthier, toute jeune en prairial an III ! Génial comme presque toujours, Michelet éprouva quelque douleur de cette lacune : *« Le grand défaut de mon livre »*, écrit-il en achevant *Les Femmes de la Révolution, « c'est qu'il ne répond pas à son titre ; on n'y rencontre que des héroïnes »*. Il serait plus heureux aujourd'hui.

Nous les connaissons enfin ces femmes des *« glorieux faubourgs » :* Saint-Antoine, Saint-Marcel, Saint-Jacques. Nous savons que la rue en est peuplée, comme sous ce régime qui s'achève et que bientôt on va appeler *« l'ancien »*. Espace public - espace privé : cette dichotomie date du XIXe siècle. Rien dans les années 1780 ne les confine à domicile : ni les mœurs ni les maris. Marchandes ambulantes, fripières, dames de la Halle – ces dernières hautement productrices de pétitions, de manifestations – prostituées parfois, et ouvrières bien plus nombreuses qu'on ne l'a cru longtemps, elles s'affairent avec leurs bonnets tuyautés, plus ou moins patriotiques, bientôt fleuris de cocardes. Ménagères, elles murmurent contre le prix du pain, du sucre. Complices, elles se réunissent entre voisines. Violentes, en proie à des maris eux aussi violents, elles vocifèrent, les mains sur les hanches, elles se battent aussi. Laborieuses surtout, elles ne sont pas femmes à s'enfermer dans leur ménage : le personnage de la ménagère, c'est plus tard qu'il viendra au monde ; en 89, la très grande majorité du peuple féminin de Paris exerçait une profession, des professions déjà soumises à la longue discrimination des salaires. *« Coudre et servir, instruire et soigner »*, telle se dessine la configuration de leurs emplois. Des initiatives comme le projet, fin 1790, d'une école typographique pour les femmes, donnent chair, au cœur du moment révolutionnaire, à la revendication générale de l'instruction, si bien relevée par Paule-Marie Duhet.

Instruction professionnelle en l'occurrence : pourquoi tels emplois seraient-ils refusés aux femmes ? De quel(s) droit(s) ? Nul ne peut dire : *« Je ne suis pas fait pour travailler »* puisque *« tous sont nés pour exister »*. Mais, inséparablement, instruction générale à finalité civique : aux femmes comme aux hommes de s'élever à la pleine dignité du genre humain. Comment devient-on partie prenante du *« souverain »* ? Cette question hante celles qui savent s'exprimer et on l'entend comme en sourdine derrière bien des pratiques. S'instruire comme les hommes et comme eux, travailler, bonne réponse : *« La raison est à la portée des femmes comme des hommes »*. Ce n'est pas la seule. Ne se marier qu'avec un patriote, voilà, en 1790, la proposition des Dames citoyennes de Marseille : on leur fera comprendre, avance hardiment une autre citoyenne deux ans plus tard, que *« l'égalité est entre les époux et les épouses »*. Un vœu isolé ? Non. Tout l'an 89 bruit de

« réclamations des femmes » contre le *« despotisme marital »*, de dénonciations de ces *« chaînes d'autant plus pesantes qu'elles sont forgées dans le sein des familles »*. Nul enfermement cependant dans le champ du privé : c'est collectivement que des femmes entendent porter la pique, cette arme entre toutes symbolique du sans-culotte. Collectivement aussi qu'à l'heure de la patrie en danger, près d'un millier s'enrôlent et jurent de *« renoncer aux séductions de l'amour »* pour aller combattre les tyrans : *« N'avons-nous pas, comme vous, fait serment de vivre libre ou de mourir ? »* Nulle supplique ici : des droits, revendiqués. En passant des doléances à l'exigence, la conscience d'appartenir au *« souverain »* s'affirme. Citoyenne, cette définition se charge peu à peu d'un sens nouveau : la citoyenne est celle qui a des droits, qui le sait et qui le dit.

Avec des textes, avec des mots. Nul doute que, comme les hommes, les femmes du peuple manient plus volontiers la parole que l'écriture. Paroles échangées dans la rue ou à la porte du boulanger, cris qui rassemblent, chansons qui procurent le surcroît nécessaire d'énergie et d'ardeur. Paroles écoutées aussi : tricotantes et tricoteuses, elles occupent les tribunes des assemblées de section, des assemblées nationales et y font l'apprentissage de la vie civique.

Paroles délibérantes enfin : dans les cabarets de quartier où, le soir, elles se retrouvent entre voisines pour entendre la lecture du journal, dans les clubs aussi, certes moins fréquentés, parfois mixtes – le premier : la Société fraternelle des Amis de la Constitution, naît à l'automne 90 –, parfois exclusivement féminins, tel celui des Citoyennes républicaines révolutionnaires que Michelet déjà avait repéré. Il y a bien une spécificité populaire, d'autant que les paroles se mêlent aux actes : c'est la « femme Devaux » et la jeune Joséphine Rouillère, toutes deux de la section du Finistère, qui, le 1er prairial an III, dix mois après la chute de Robespierre, organisent une véritable marche insurrectionnelle sur la Convention. L'échec de l'émeute ce jour-là, la reddition des faubourgs, sonneront le glas du mouvement féminin de masse dont les militantes étaient susceptibles d'obtenir l'appui quand la faim menaçait les familles ouvrières, et en même temps celui de tout le mouvement populaire mobilisé autour d'un objectif éminemment politique : du pain et la Constitution de l'an I.

Et pourtant... A parcourir les récits, les pamphlets et les fiches de police, le sentiment s'impose qu'entre les activistes de la parole urgente et celles de la prompte écriture, entre Anne-Félicité Colombe, propriétaire de l'imprimerie Henri-IV, et Marie Martin qui sait signer mais non écrire, le fossé est moins profond que celui qui sépare Camille Desmoulins par exemple, le gentil Camille, des sans-culottes des faubourgs. Propriétaires ou non, aisées ou miséreuses, ces femmes, exclues du vote et de la représentation, ont le désir de se faire reconnaître comme citoyennes. Parler, gesticuler, écrire, autant de manières de faire acte de citoyenneté. Au reste, c'est ensemble qu'elles signent plus d'une pétition rédigée d'une plume lettrée. Ensemble aussi parfois qu'elles les portent en délégation à la barre de l'Assemblée. Leur culte de l'égalité, la volonté de communion civique qui les rend promptes aux serments, voilà ce qui les constitue bientôt en chaleureuses républicaines. Ce que nous donnent à entendre la voix des pamphlets rédigés par les *« écrivaines »* et celle, toute populaire voire populacière, que nous transmettent les rapports de police, c'est bien la passion civique, l'ardeur citoyenne de femmes aptes à mettre en œuvre une certitude consciente ou obscure : il existe d'autres formes de citoyenneté que le vote.

De celui-ci, on le sait, la Révolution avait radicalement privé les femmes, de son aurore à sa phase culminante, lors même que, peu à peu, elle avait reconnu aptes à jouir de la capacité politique les comédiens et tous les juifs, les hommes de couleur, les pauvres, les domestiques enfin, renonçant au système complexe d'exclusion sur lequel la Constituante avait au départ construit la capacité politique. S'agissant des femmes, la chose semblait si évidente qu'entre représentants du peuple on négligeait de s'en entretenir. Lorsque Condorcet, qui n'était pas alors député, publia en juillet 1790 *Pour l'admission des femmes au droit de cité* – il ne s'agissait d'ailleurs que des femmes propriétaires –, ce texte n'eut guère d'écho à l'Assemblée... Il fallut attendre avril 1793 pour que la *« Commission des six »*, chargée par la Convention d'étudier les quelque trois cents projets de Constitution reçus, ouvrît le débat et, malgré Gilbert Romme, proposât clairement d'exclure les femmes du droit de cité, *« au moins pour quelques années »*. Une argumentation qui avait le mérite de n'être pas *« naturaliste »*, mais qui, tout compte fait, se bornait à reprendre, dans la phase la plus hardiment égalitaire de la Révolution, la thèse énoncée en 1789 par Sieyès, au fil de son long projet de Déclaration des droits : si les femmes ne doivent pas *« influer directement la chose publique »*, cette exception au droit de suffrage qui les range du côté des enfants et des pauvres ne concerne que *« l'état actuel »*.

Qu'en pensaient les femmes ? Grande question. On ne peut tenter d'y répondre que chronologiquement. Trois grands moments se dégagent, semble-t-il. Que la citoyenneté électorale ne soit pas le principal souci en

1789, *les Cahiers de doléances des femmes* le montrent assez, à l'exception de Madame B... B... qui déclare qu'il est juste de recueillir leurs suffrages, pour peu qu'elles soient propriétaires. Travailleuses, elles énoncent leurs revendications. Mais surtout elles se pensent comme *« filles, sœurs, épouses et mère de citoyens » :* belle formule utilisée dans les *« Lettres d'une citoyenne à son amie »*, écrites de Grenoble et datées d'avril 89. Pourquoi ne pas aller plus loin ? Elles *« savent trop bien combien la faveur aurait de part à leur éventuelle élection » :* c'est du moins ce que dit la pétition adressée au Roi par *« les femmes du Tiers »* le 1er janvier de cet an de grâce. Dépendre du favoritisme : insupportable. Il y a là comme un constat social contre lequel elles entendent lutter en exigeant des droits civils – fin du privilège de masculinité en matière d'héritage, divorce – et l'instruction, objet d'un passionné désir. S'agit-il pour elles d'une étape nécessaire avant de passer aux droits politiques ? Ce n'est pas certain. Aucun texte n'énonce à cette date cette perspective. Ne s'agirait-il pas plutôt d'une adhésion intime à la thèse qui fait de la femme non pas l'égale en droits, mais l'éducatrice et le complément de l'homme, disons, pour faire court, la thèse de la complétude ? C'est en réalisant cette nature profonde, *« sa »* nature, que la femme peut contribuer à la régénération de la société, à la Révolution. Voilà qui définit les contours d'un mode féminin de citoyenneté ni *« active »* certes, ni *« passive »*, mais *« autre »*, mise au service de la nation, faite de vertu assumée, d'exemples donnés à la patrie – ô Cornélie, mère des Gracques – et de grandeur d'âme.

Assez vite pourtant le débat sur l'égalité des droits gagne les femmes du Tiers. Plus exactement des femmes du Tiers auxquelles se mêlent quelques brillantes marginales. Est-ce le texte de Condorcet, superbe dans son volet théorique, qui cristallise à partir de l'été 1790 des courants d'opinion jusque-là dispersés ? Est-ce le Cercle social de l'Abbé Franchet, ce lieu du Palais-Royal encore si mal connu mais fréquenté par tant de personnalités fascinantes dont Etta Palm, la *« fausse baronne »*, pourvu en outre d'une imprimerie, qui facilite les rencontres et la maturation de la pensée ? Ou le simple mouvement de la Révolution conduit-il à réfléchir sur la mise en œuvre de la Déclaration des droits, un texte qui associait inséparablement droits de la personne et droits du citoyen ? Toujours est-il que, des *Etrennes nationales des Dames* et de l'*Adresse* signée par quelque 300 « citoyennes de la capitale » à la *Déclaration* d'Olympe de Gouges (septembre 1791), le thème de l'égalité et celui de l'universalité se substituent à ceux des deux natures et de la complétude. *« Qui y a-t-il de commun entre les hommes et les femmes ? »* interroge Olympe. Réponse : *« tout »*. Et Condorcet, qu'elle a peut-être rencontré au Cercle social : *« Ou aucun individu de l'espèce humaine n'a de véritables droits, ou tous ont les mêmes. »* Politiquement enfin, c'est Olympe qui, redoublant au féminin le grand texte de 89, écrit en clair : *« Toutes les citoyennes et citoyens doivent concourir personnellement ou par leurs représentants à la formation de la loi. »* L'entrée dans la gestion des villes – nous n'avons pas inventé le *« vote aux élections locales »* –, la représentation à l'Assemblée Nationale, toutes deux demandées par les *Etrennes des Dames,* l'affirmation selon laquelle *« les femmes valent bien les juifs et les gens de couleur »* (Requête à l'Assemblée Nationale), ont trouvé leur formulation unitaire, à la fois théorique et politique.

Sans grand écho dans l'immédiat, semble-t-il. L'entrée en scène, à partir de 1792, de la sans-culotterie féminine déplace à nouveau les enjeux. Pour faire reculer le fédéralisme, pour défendre les intérêts des sans-culottes, et notamment des femmes sans-culottes, est-il si important d'élire ses représentants ? Les femmes ne sont pas seules à être tentées de répondre par la négative : les foules masculines ne se pressent pas non plus lors des élections à la Convention, à un moment pourtant où la Révolution est encore très loin d'être *« glacée »*. La démocratie directe dans les sections fascine davantage, Albert Soboul l'avait montré. Surveiller et punir, exiger et agir, multiplier les signes de reconnaissance, investir en somme le politique par d'autres voies : c'est ce qu'expérimentent les femmes de l'an I. Comme celles de 89, elles se pensent et se voient citoyennes sans droit de vote. Mais, à la différence de 89, c'est par les lieux de sociabilité publique, par l'évidence de leur présence dans la ville qu'elles définissent leur citoyenneté. Vision populaire, distincte de l'imaginaire des Lumières, de la représentation de la citoyenne mère et épouse ? Assurément. Mais nombre de celles qui, en 89, se pensaient exclusivement *« filles, sœurs, épouses et mères de citoyens »* avaient adhéré à ces pratiques nouvelles. Quelque chose avait bougé.

Il n'en était apparemment de même ni dans la sansculotterie masculine, ni chez les Montagnards, ni dans la Plaine, dès lors qu'ils se trouvèrent confrontés à la turbulence féminine. Fin octobre 1793, lorsque la Convention ouvre son seul vrai débat sur les femmes, Amar au nom de la police – le Comité de Sûreté générale – et Chaumette, le procureur de la commune, rivalisent d'arguments pour obtenir, au reste sans grand mal, la fermeture des clubs de femmes, présentés comme manipulés par les *« Enragés »*. Assurément ils invoquent la *« nature »* féminine. Mais ce n'est plus dans la perspective d'une citoyenneté originale. Olympe devient une *« virago »* qui *« abandonna les soins du ménage pour se mêler de politique »*. Les femmes sont renvoyées à leur potage. Elles ne rentreront pas si vite à la maison. La fin ne viendra qu'avec la répression de prairial an III.

Elles avaient tout de même beaucoup appris. Et quelque peu acquis : ne serait-ce que le droit au divorce par consentement mutuel (30 août 1792) que, mal mariées si souvent, elles avaient demandé avec tant d'insistance, et dont elles seront, en nombre, les principales bénéficiaires. Surtout, elles avaient pensé, elles avaient pratiqué. Elles avaient pesé sur la vie publique par des voies qu'il nous arrive de redécouvrir aujourd'hui.

Si les leçons de citoyenneté nées de la Révolution française ont pu sembler longtemps perdues, si la femme du XIXe tend à être figée dans son rôle maternel, si l'image masculine d'Amar et de Chaumette a perduré, le Bicentenaire n'est-il pas l'occasion de retrouver textes et pratiques des femmes de cette époque fondatrice, dans leur active plénitude et leur profonde incomplétude ?

Madeleine REBÉRIOUX

BIBLIOGRAPHIE

– Elisabeth et Robert BADINTER : *Condorcet, un intellectuel en politique,* Paris, Fayard, 1988, 658 pages.
– Olivier BLANC : *Olympe de Gouges,* Paris, Syros, 1981, 238 pages, préface de Claude Manceron.
– Maurice GENTY : *L'apprentissage de la citoyenneté, Paris, 1789-1795,* Paris, Messidor, 1987, 290 pages.
– Elisabeth GUIBERT-SLEDZIEWSKI : *La femme, objet de la Révolution,* Annales historiques de la Révolution française, janvier-mars 1987, pages 1-16.
– Dominique GODINEAU : *Citoyennes tricoteuses. Les femmes du peuple à Paris pendant la Révolution française,* Aix-en-Provence, Alinéa, 420 pages (envers qui j'ai eu une dette particulière).
– Annette ROSA : *Citoyennes. Les femmes et la Révolution française,* Paris, Messidor, 1988, 253 pages, avant-propos de Claude Mazauric, postface par Elisabeth Guibert-Sledziewski.
– Elisabeth ROUDINESCO, *Théroigne de Méricourt, une femme mélancolique sous la Révolution,* Paris, le Seuil, 1989, 313 pages.

– Et un recueil de textes fondamentaux : *Les femmes dans la Révolution,* Paris, Edhis, 1982, deux volumes.

– A paraître : Dominique GODINEAU, *Les droits de l'homme sont aussi les nôtres.*
Recueil de textes sur les droits politiques des femmes pendant la Révolution française, Aix-en-Provence, Alinéa, Collection « Femmes et Révolution ».

4e ÉVÉNEMENT DU 5. 8bre 1789.

Les Femmes Parisiennes siegeant à l'Assemblée Nationale parmi les Députés.

INTRODUCTION

1789 : Louis XVI a dû accepter la convocation des Etats généraux qui ne s'étaient pas réunis depuis 1614. Dans chacun des quelque trois cents bailliages que compte la France, les trois ordres de l'Ancien Régime – la Noblesse, le Clergé et le Tiers-Etat – tiennent des assemblées séparées. Au cours des réunions on élit des députés et on rédige des cahiers de doléances. Ainsi les Français prennent la parole.

Et les Françaises ?

Personne ne songe à solliciter leur avis. Celles qui appartiennent à la noblesse ont un droit de représentation confirmé par l'article XX du règlement royal de janvier 1789 qui fixe les modalités de représentation aux Etats généraux :

« Les femmes possédant divisément, les filles et les veuves ainsi que les mineures jouissant de la noblesse, pourvu que les dites femmes, filles, veuves et mineures possèdent des fiefs, pourront se faire représenter par des procureurs près de l'ordre de la noblesse. »

Se faire représenter, c'est déléguer sa voix. Encore faut-il souligner qu'il s'agit d'un droit concédé au titre de propriétaire d'un fief ; mais, enfin, c'est un droit. De la même façon, les chapitres et communautés de femmes peuvent être représentés *« par un seul député ou procureur fondé, pris dans l'ordre ecclésiastique séculier ou régulier » (art. XI).*

Mais les autres femmes ? Rien n'était prévu que leur mutisme docile.

Le Tiers-Etat, si on votait par ordre, comme en 1614, ne disposerait que d'une voix, là où les ordres privilégiés, Noblesse et Clergé, feraient alliance : deux contre un.

Mais la France de 1789 n'était plus celle de 1614. Des membres du Tiers-Etat, ceux qui se nomment les « patriotes » et qui sont des bourgeois « éclairés », imprégnés des idées nouvelles, demandent que le nombre des députés représentant leur ordre soit doublé et que le vote soit individuel. Parler d'« individu » et non plus d'« ordre », c'est amorcer un changement radical de point de vue. Le vote par tête implique la reconnaissance du droit de chacun à exprimer son opinion. Chacun et chacune ? Bien peu de gens étaient prêts à franchir ce nouveau pas. La réforme adoptée parut être une demi-mesure : Louis XVI céda sur le nombre des députés en accordant au Tiers-Etat d'en avoir autant que les deux autres ordres réunis. Mais l'arrêté du Conseil ne précisait pas le mode de scrutin qui serait adopté.

Cette mesure fut-elle une incitation pour que certaines femmes exclues de la vie politique n'en décident pas moins de faire publier leur opinion ? Il faut tenir compte de l'évolution qui s'était produite dans certaines couches de la bourgeoisie : on avait commencé, dans certaines familles aisées, à donner aux filles une éducation suffisante pour qu'elles puissent s'occuper avec compétence des affaires privées – ce qui suppose une connaissance des affaires publiques – et, pourquoi pas ? de la politique. Trop souvent la tentation l'emporte d'imaginer les femmes qui ont assisté et participé au développement de la Révolution groupées en deux catégories : celles qui occupèrent le devant de la scène à leurs risques et périls : la Reine et son entourage d'une part, Mme Roland (la dernière à tenir salon) de l'autre ; entre les deux des groupes de femmes paradant pour les fêtes nouvelles ou faisant des émeutes quand les vivres manquaient. L'histoire, telle qu'on l'enseigne aux adolescents aujourd'hui, reproduit ce schéma. La plupart des manuels scolaires des collèges contiennent la gravure du Musée Carnavalet montrant le départ des femmes pour Versailles le 5 octobre 1789 et mentionnent, en passant, le salon de Mme Roland, sans dire qu'elle fut guillotinée. L'analyse de la Déclaration des Droits de l'homme, celle de l'œuvre de la Constituante font état des limites de l'application qui en fut faite – mais sans dire que les femmes n'étaient pas admises aux droits politiques. De toute évidence pour les auteurs de ces manuels, cela va de soi. La présence des femmes dans les cercles révolutionnaires ou dans les manifestations populaires n'est pas omise : elle sert implicitement la justesse des revendications économiques ou la valeur morale de l'idéal révolutionnaire. Mais le choix des illustrations, là encore, est éclairant. Pour illustrer la réaction thermidorienne le portrait de Mme Tallien a été choisi, évoquant la frivolité féminine autant que le *Marie-Antoinette à la rose* d'un chapitre précédent. Dans le genre « sérieux », c'est le titre IX du Code Civil, « De la Puissance Paternelle », qui s'étale sur toute une page : simple hasard ?

Pourtant, entre 1789 et 1804, l'année où parut la première édition du Code Civil, un certain nombre de femmes avaient pris la parole ; discrètement, certes, dans bien des cas, de façon plus voyante, voire plus provocante, pour quelques-unes d'entre elles. Il était intéressant de regrouper les textes qui ont survécu pour mieux comprendre ce phénomène social, limité sans doute, parce que vite étouffé, et que les historiens ont longtemps ignoré. Les textes présentés dans ce recueil sont d'ordre divers. Il y a des cahiers de doléances proprement dits, des pétitions, des relations d'événements, et des manifestes qui montrent une volonté de dépasser le simple événement ou le vécu immédiat : comment ne pas penser au traité de Mlle Jodin : « Vues Législatives pour les Femmes » ?

Les cahiers de doléances féminins ne sont pas nombreux. Ceux qui nous sont parvenus proviennent en majorité de communautés religieuses ou de communautés de marchandes.

On verra par les exemples donnés que les arguments des religieuses rejoignaient les problèmes politiques. Les « dames » de la ville d'Aups demandaient à être exemptées d'un impôt – la décime – auquel elles étaient soumises, malgré la modestie de leurs ressources, parce qu'elles n'avaient pas de « fonds noble ». Dans leur vétuste et froide demeure, sur les hauteurs qui dominent Draguignan, elles formulaient une revendication de répartition de l'impôt proche de celle des curés réduits à la portion congrue, et qui se séparèrent, dans le Dauphiné, entre autres, du haut Clergé, pour se rapprocher du Tiers-Etat. Les Pénitentes d'Hondtschoote et les Sœurs Grises de la même ville tenaient un langage plus ferme encore. Les unes faisaient remarquer « l'utilité qu'elles sont pour le public », en tenant un « pensionnat » qui était un asile pour aliénés. A celles-là il semble qu'on ait reproché la fermeture de leur école, fermeture qu'elles justifient par le manque de religieuses capables d'enseigner. Aux autres, il apparaît qu'on ait enjoint de s'occuper des services hospitaliers et du soin des malades à l'extérieur de leur communauté. Et elles répondent fièrement qu'elles sont nées libres, que le choix de la vocation religieuse et celui de garde-malade sont d'ordre différent, et qu'il n'y a aucune raison pour leur imposer une fonction qu'elles n'ont point choisie.

Liberté encore, mais cette fois d'exercer leur commerce, c'est ce que réclament les marchandes bouquetières, fières des trois années d'apprentissage qui étaient la règle, et qui craignent la concurrence déloyale des marchandes à la sauvette. Leur argumentation est subtile et repose sur la notion de l'équilibre à respecter dans la répartition des moyens de subsistance des catégories sociales peu favorisées. Les marchandes plumassières de la Ville de Paris présentent une motion plus complexe, rédigée par articles. Elles ne manquent pas de faire observer que la convocation des représentants aux Etats généraux telle qu'elle s'est faite à Paris, par quartiers, est en contradiction avec les règlements des corporations, ce qui est dommageable pour une communauté qui paie des « sommes considérables » en imposition et en droit de maîtrise et craint cependant de n'être pas représentée. Ce préambule donne la mesure de la fermeté avec laquelle elles entendent faire respecter ou modifier les règles internes – et surtout financières – de leur communauté : fleuristes et marchandes plumassières ont le sens pratique, sans détour.

A ces cahiers de doléances rédigés par des groupes restreints, pour défendre des intérêts précis, et qui correspondent exactement à ce que le gouvernement attendait, s'opposent d'autres textes dont la portée est bien différente. La « Pétition des Femmes du Tiers-Etat au Roi », anonyme comme on peut s'y attendre, élève le niveau des revendications au rang des principes économiques et sociaux. N'ayant aucune illusion sur les sentiments mêlés qu'elles inspirent aux hommes – « admiration et mépris » – ni sur leur possibilité d'attendre, en 1789, quoi que ce soit des « loix trop bien cimentées pour essayer de les enfreindre », elles limitent leurs demandes à deux points. Mais que ces droits sont bien choisis ! La brève analyse qu'elles font de la condition féminine est judicieusement menée : à un choix qui se limite à accepter une vie austère dans un couvent ou une vie tout aussi austère qui les condamne à végéter dans le siècle – vieilles filles méprisées ou femmes d'artisans vouées à de nombreuses maternités –, elles opposent une alternative qui devrait leur être garantie. Ce qu'elles demandent, c'est le droit au travail – mais oui, déjà ! Pour elles la classification des métiers semble une solution : certains d'entre eux, pensent-elles, devraient être réservés aux femmes. *« Que l'on nous laisse au moins l'aiguille et le fuseau, nous nous engageons à ne jamais manier le compas ni l'équerre. »* Voire... cette sagesse respectueuse des hiérarchies professionnelles est-elle tout à fait sincère ? Ces dames réclament aussi le droit à l'instruction, et dans des écoles gratuites. Des sciences, elles font fi, certes. Mais « sortir de l'ignorance pour donner à (ses) enfants une éducation saine et raisonnable », c'est aller beaucoup plus loin qu'on ne croit, bien plus loin que la mère idéale dont Rousseau avait tracé le portrait dans *Emile.* Si l'éducation est raisonnable, c'est que l'éducatrice sait se servir de la raison dont elle est douée, et ce chemin-là est celui dont les hommes pensent déjà, en 1789, qu'ils ont beaucoup à redouter. Il ne serait pas surprenant que M. de Talleyrand-Périgord, évêque d'Autun, ait eu cette pétition des femmes du Tiers-Etat en tête, quand il rédigea son projet d'éducation nationale, en 1791. Il n'hésita pas à rappeler brutalement que la « nature » destinait les femmes à rentrer à la maison paternelle dès l'âge de huit ans, leur éducation ne devant surtout pas faire d'elles les « rivales » des hommes.

M. de Talleyrand avait vu juste : il n'était que temps de réagir. Car les « Doléances et Réclamations des Femmes » présentées par Mme B. B. étaient inquiétantes. La digne dame, qui s'inspirait évidemment de modèles de cahiers qui circulaient alors, donnait furieusement dans la philosophie nouvelle. Mme B. B. avait l'outrecuidance de croire que les idées dont les délégués du Tiers allaient se réclamer avaient valeur universelle et pouvaient s'appliquer indistinctement « aux Nègres [à qui] il est question d'accorder leur affranchissement » et aux femmes. Fi donc, madame, vous vous défendez de jamais vouloir entrer dans les sphères politiques mais vous demandez l'abolition du droit d'aînesse et la confiscation des biens du clergé, sous une forme atténuée, certes, mais vous louez aussi les femmes qui règnent effectivement : Elisabeth d'Angleterre et Catherine de Russie. Tout cela n'est pas de bon augure. Il est temps d'allumer des contre-feux.

Alors apparurent les faux cahiers féminins : celui des « Demoiselles du Palais-Royal » — les prostituées, bien sûr — qui demandent qu'on leur rende « ces Abbés, ces gros Bénéficiaires qui sont [leurs] tributaires les plus constants », celui de « La Vieille Bonne Femme de 102 ans, Sœur du Curé de 97 ans », le « Cahier des Représentations et Doléances du Beau Sexe » et bien d'autres encore. Certes, il est permis de rire, même en période troublée, et le cahier de « l'Ordre le plus nombreux du royaume » (celui des cocus) est d'une lecture tonique. Toutefois, ce qui est remarquable, c'est de voir le nombre relativement élevé de textes écrits de toute évidence par des hommes et faussement attribués à des auteurs féminins. Ils se reconnaissent à une excessive naïveté d'expression, à la pauvreté des idées énoncées, parfois à une signature stéréotypée, et souvent à un amalgame de plaintes qui soulève aussitôt la suspicion du lecteur. Un bon exemple de cette littérature est une publication postérieure à la réunion des Etats généraux, le « Discours de la pauvre Javotte ». Née misérable, Javotte a vu toute sa famille pourvue en emplois par la noblesse des environs, jusqu'à l'oncle tonsuré à qui une bonne marquise trouve une cure, et à la sœur bossue que l'on met au couvent. Las ! les bienfaiteurs sont « philosophiquement et patriotiquement dépouillés » pour établir le règne des droits de l'homme. L'apologue, ici, est si bien agencé, si soigneusement construit autour d'un schéma simplificateur que la propagande y est décelable sous sa forme simpliste. Les textes féminins de l'époque ne sont pas écrits ainsi. Les femmes ont trop à dire pour s'exprimer de cette façon ; elles ne peuvent pas prendre la distance que suppose le maniement sarcastique de l'écriture. Leurs textes sont toujours marqués par une impatience, une indignation retenues, un souci de dominer les maux présents en y portant remède. Les textes féminins de cette époque sont inspirés par un optimisme certain, même lorsqu'ils cèdent à une emphase un peu pompeuse.

De cet optimisme les femmes avaient grand besoin, comme la suite des événements allait le montrer. Les relations des premiers incidents auxquels elles apportèrent un soutien important, les journées des 5 et 6 octobre 1789, dont elles furent des actrices essentielles, montrent déjà quel souci existe, parmi leurs alliés, de les encadrer fermement. L'année suivante, quand il s'agira de prêter le serment civique, les délibérations des Dames citoyennes à Marseille et ailleurs se feront avec l'assentiment des autorités municipales dûment sollicitées. Mais, bien sûr, tout assentiment peut être repris. En 1790, les femmes croient commencer à peser dans la vie publique en France : elles n'y sont que figurantes, en fait, mais pour l'heure on se garde bien de les détromper. Certaines de leurs revendications reçoivent un commencement d'application : une école de typographie qui leur est réservée fait l'objet d'un projet municipal ; leur contribution est acceptée avec enthousiasme quand elles proposent de faire don de leurs bijoux à l'Assemblée nationale. L'Assemblée reçoit leurs adresses et pétitions – on en trouve ici plusieurs exemples. On accepte même qu'elles dénoncent des « antipatriotes », comme le sieur André dont il est question dans le texte émanant de femmes d'un district de Marseille. Les revues leur ouvrent leurs colonnes, les clubs politiques leur entrouvrent leurs portes.

Pourquoi ne franchiraient-elles pas un pas de plus ? Elles le font, sentant bien qu'il y a dans la mise en application de la Déclaration des Droits de l'homme certaines omissions. Etta Palm d'Aelders rappelle – timidement peut-être – que « pour former des hommes libres il faut connaître la liberté ». Olympe de Gouges va plus loin et rédige une « Déclaration des Droits de la Femme et la Citoyenne ».

A ce stade de la revendication, les problèmes particuliers peuvent donner l'impression qu'ils ont été oubliés ou négligés. Ce n'est pas le cas. La question du divorce, par exemple, ne semble pas avoir incité les femmes à se prononcer clairement sur ce sujet. Les opuscules qui en traitent émanent souvent de juristes. L'ouvrage de référence, nommé ou non, est le petit traité du chevalier de Cerfvol, *Législation du Divorce,* publié à Londres en 1769, que Mme Roland cite dans ses Mémoires, en rappelant que le divorce « est le droit de nature ». Deux brochures de l'Imprimerie du Cercle Social font allusion à ce problème : « Du sort actuel des Femmes » et la « Pétition adressée à l'Assemblée nationale », où les implications économiques de la séparation d'un couple sont analysées en fonction des différentes situations qui peuvent se présenter. Le problème avait été abordé dès les premiers mois de la Révolution ; généralement, c'était une revendication masculine parmi d'autres. En 1789, par exemple, le marquis de Villette demande, dans *Mes Cahiers,* qu'on lève un impôt sur les célibataires de vingt à cinquante ans et que l'on permette le divorce. Une motion légèrement postérieure intitulée « L'Ami des Enfans, Motion en faveur du Divorce », souligne que c'est « une conséquence naturelle et nécessaire de la Déclaration des Droits de l'Homme ». Selon l'auteur, sa légitimité, du point de vue religieux, aurait été « prouvée par les Saintes Ecritures par M. Linguet au Palais-Royal ».

Finalement, on le sent bien, les femmes qui réfléchissent et publient leurs doléances ou leurs souhaits espèrent que la Révolution va permettre de dissiper quantité d'injustices ou d'erreurs et par là d'assainir des problèmes individuels. Que les femmes reçoivent une instruction sérieuse, et elles ne seront plus obligées d'accepter un mariage s'il ne peut être qu'un échec. Inversement, les maris seront amenés à respecter plus réellement leur épouse en sachant qu'elle est aussi un être indépendant.

L'optimisme, ici encore, domine, un optimisme dont nous savons aujourd'hui qu'il était, pour le moins, prématuré. Les filles n'eurent droit ni à une instruction publique sérieuse, qui leur eût facilité l'accès à des emplois divers, ni au divorce. Elles eurent, par contre, le droit de monter sur l'échafaud, comme Olympe de Gouges, après s'être vu interdire tout droit politique et même le droit de porter la cocarde tricolore. Les clubs et associations de femmes furent dissous le 30 octobre 1793, quelques jours seulement avant l'exécution de

Mme Roland, « monstre sous tous les rapports », et d'Olympe de Gouges, « conspiratrice... [qui] avait voulu être homme d'État » (*Moniteur Universel,* 29 brumaire An II).

Celles qui avaient eu la chance d'échapper à la tourmente devaient se dire, mais un peu tard, que les hommes étaient comme les animaux de la fable, prompts à implorer les secours qui pouvaient leur sembler utiles et non moins prompts à les oublier.

Paule-Marie DUHET

Paule-Marie Duhet, professeur à l'université de Nantes, est l'auteur de *Les Femmes et la Révolution, 1789-1794* (Paris, Julliard, 1971, 2e éd., 1977, trad. espagnole, 1974) et d'une thèse de doctorat d'Etat sur l'ancêtre du féminisme britannique, Mary Wollstonecraft, *Mary Wollstonecraft-Godwin, 1759-1797* (Lille-III et Paris, Didier, 1984). Après des travaux sur la littérature enfantine (*L'Enfance et les ouvrages d'éducation* [en collaboration], Université de Nantes, 3 vol., 1983, 1985, 1986), elle poursuit des travaux de recherche sur l'éducation (1750-1850) et sur les problèmes d'éducation au Canada.

I

CAHIERS DE DOLÉANCES ET REMONTRANCES DES FEMMES EN 1789

Départ des femmes pour Versailles
le 5 octobre 1789
Bibliothèque Nationale Est-Giraudon

Marche des femmes
de Paris sur Versailles
Harlingue-Viollet

Des femmes
du Tiers-État

PÉTITION DES FEMMES DU TIERS-ÉTAT AU ROI

ANONYME 1er Janvier 1789

Ce qu'on sçait droitement, on en dispose,
sans regarder au patron.
Essais *de Montaigne, L.I,c. XXV*

Sire,

Dans un tems où les différens Ordres de l'Etat sont occupés de leurs intérêts, où chacun cherche à faire valoir ses titres & ses droits ; où les uns se tourmentent pour rappeler les siècles de la servitude & de l'anarchie ; où les autres s'efforcent de secouer les derniers chaînons qui les attachent encore à un impérieux reste de féodalité, les femmes, objets continuels de l'admiration & du mépris des hommes, les femmes, dans cette commune agitation, ne pourraient-elles pas aussi faire entendre leur voix ?

Exclues des Assemblées Nationales par des loix trop bien cimentées pour espérer de les enfreindre, elles ne vous demandent pas, Sire, la permission d'envoyer leurs députés aux Etats-Généraux; elles savent trop combien la faveur aurait de part à l'élection, & combien il serait facile aux élus de gêner la liberté des suffrages.

Nous préférons, Sire, de porter notre cause à vos pieds : ne voulant rien obtenir que de votre cœur, c'est à lui que nous adressons nos plaintes & confions nos misères.

Les femmes du Tiers-Etat naissent presque toutes sans fortune; leur éducation est très-négligée ou très-vicieuse : elle consiste à les envoyer à l'*école,* chez un Maître qui, lui-même, ne sait pas le premier mot de la langue qu'il enseigne; elles continuent d'y aller jusqu'à ce qu'elles sachent lire l'Office de la Messe en français, & les Vêpres en latin. Les premiers devoirs de la Religion remplis, on leur apprend à travailler; parvenues à l'âge de quinze ou seize ans, elles peuvent gagner cinq ou six sous par jour. Si la nature leur a refusé la beauté, elles épousent, sans dot, de malheureux artisans, végètent péniblement dans le fond des provinces, & donnent la vie à des enfans qu'elles sont hors d'état d'élever. Si, au contraire, elles naissent jolies, sans culture, sans principes, sans idée de morale, elles deviennent la proie du premier séducteur, font une première faute, viennent à Paris ensevelir leur honte, finissent par l'y perdre entièrement & meurent victimes du libertinage.

Aujourd'hui que la difficulté de subsister force des milliers d'entre elles de se mettre à l'encan; que les hommes trouvent plus commode de les acheter pour un tems que de les conquérir pour toujours, celles qu'un heureux penchant porte à la vertu, que le désir de s'instruire dévore, qui se sentent entraînées par un goût naturel, qui ont surmonté les défauts de leur éducation & savent un peu de tout, sans avoir rien appris, celles enfin qu'une âme haute, un cœur noble, une fierté de sentiment fait appeller *bégueules,* sont obligées de se jeter dans les cloîtres où l'on n'exige qu'une dot médiocre, ou forcées de se mettre au service, quand elles n'ont pas assez de courage, assez d'héroïsme pour partager le généreux dévouement des filles de Vincent de Paul.

Plusieurs aussi, par la seule raison qu'elles naissent filles, sont dédaignées de leurs parents, qui refusent de les établir pour réunir leur fortune sur la tête d'un fils qu'ils destinent à perpétuer leur nom dans la Capitale; car il est bon que Votre Majesté sache que nous avons aussi des noms à conserver. Ou si la vieillesse les surprend filles, elles la passent dans les larmes & se voyent l'objet des mépris de leurs plus proches parents.

Pour obvier à tant de maux, Sire, nous demandons : que les hommes ne puissent, sous aucun prétexte, exercer les métiers qui sont l'apanage des femmes, soit couturière, brodeuse, marchande de modes, &c., &c. ; que l'on nous laisse au moins l'aiguille & et le fuseau, nous nous engageons à ne manier jamais le compas ni l'équerre.

Nous demandons, Sire, que votre bonté nous fournisse les moyens de faire valoir les talents dont la nature nous aura pourvues, malgré les entraves que l'on ne cesse de mettre à notre éducation.

Que vous nous assigniez des charges qui ne pourront être remplies que par nous, que nous n'occuperons qu'après avoir subi un examen sévère, après des informations sûres de la pureté de nos mœurs.

Nous demandons à être éclairées, à posséder des emplois, non pour usurper l'autorité des hommes, mais pour en être plus estimées; pour que nous ayons des moyens de vivre à l'abri de l'infortune, que l'indigence ne force pas les plus faibles d'entre nous, que le luxe éblouit et que l'exemple entraîne, de se réunir à la foule de malheureuses qui surchargent les rues et dont la *crapuleuse* audace fait l'opprobre de notre sèxe & des hommes qui les fréquentent.

Nous désirerions que cette classe de femmes portât une marque distinctive. Aujourd'hui qu'elles empruntent jusqu'à la modestie de nos habits, qu'elles se mêlent partout, sous tous les costumes, nous nous trouvons souvent confondues avec elles; quelques hommes s'y trompent & nous font rougir de leur méprise. Il faudrait que, sous peine de travailler dans des atteliers publics, au profit des pauvres (on sait que le travail est la plus grande peine que l'on puisse leur infliger), elles ne puissent jamais quitter cette marque... Cependant nous réfléchissons que l'empire de la mode serait annéanti & l'on risquerait de voir beaucoup trop de femmes vêtues de la même couleur.

Nous vous supplions, Sire, d'établir des Ecoles gratuites où nous puissions apprendre notre langue par principes, la Religion & la morale; que l'une & l'autre nous soient présentées dans toute leur grandeur, entiérement dénuées des petites pratiques qui en atténuent la majesté; que l'on nous y forme le cœur, que l'on nous y enseigne sur-tout à pratiquer les vertus de notre sexe, la douceur, la modestie, la patience, la charité; quant aux Arts agréables, les femmes les apprennent sans Maître. Les Sciences ?... Elles ne servent qu'à nous inspirer un sot orgueil, nous conduisent au Pédantisme, contrarient les vœux de la nature, font de nous des êtres mixtes qui sont rarement épouses fideles, &, plus rarement encore, bonnes meres de famille.

Nous demandons à sortir de l'ignorance, pour donner à nos enfans une éducation saine & raisonnable, pour en former des Sujets dignes de vous servir. Nous leur apprendrons à chérir le beau nom de Français; nous leur transmettrons l'amour que nous avons pour Votre Majesté; car, nous voulons bien laisser aux hommes la valeur, le génie; mais nous leur disputerons toujours le dangereux & précieux don de la sensibilité; nous les défions de mieux vous aimer que nous; ils courent à Versailles la plupart pour leurs intérêts; & nous, Sire, pour vous y voir, quand, à force de peine & le cœur palpitant, nous pouvons fixer un instant votre auguste Personne, des larmes s'échappent de nos yeux, l'idée de Majesté, de Souverain, s'évanouit, & ne voyons en vous qu'un Pere tendre, pour lequel nous donnerions mille fois la vie.

CAHIER DES DOLÉANCES ET RÉCLAMATIONS DES FEMMES

PAR MADAME B*** B*** 1789

Pays de Caux

L'aurore luit, les ténèbres se dissipent ; l'astre du jour approche, le ciel brille... son éclat est un présage heureux.

O puissance suprême ! fais que ce symbole enflamme tous les cœurs, ranime notre espoir & couronne nos vœux.

Quelle confiance ne devons-nous pas avoir depuis que le monarque a manifesté à son peuple ses sentimens paternels ; qu'il a permis à chaque individu de porter ses réclamations, de communiquer ses idées, de traiter, de discuter, par la voie de la presse, tous les objets politiques qui vont bientôt passer sous les yeux de l'auguste assemblée qui se prépare ?

C'est dans ce moment d'une révolution générale, qu'une femme étonnée du silence de son sexe, lorsqu'il auroit tant de choses à dire, tant d'abus à combattre, tant de doléances à présenter, ose élever sa voix pour défendre la cause commune ; c'est au tribunal de la nation qu'elle va la déférer, & déjà sa justice l'assure du succès.

Pardonne, ô mon sexe ! si j'ai cru légitime le joug sous lequel nous vivons depuis tant de siècles ; j'étois persuadée de ton incapacité & de ta foiblesse ; je ne te croyois capable, dans la classe inférieure ou indigente, que de filer, coudre & vaquer aux soins économiques du ménage ; &, dans un rang plus distingué, le chant, la danse, la musique & le jeu me sembloient devoir être tes occupations essentielles. Je n'avois pas encore assez d'expérience pour discerner que tous ces exercices sont, au contraire, autant d'obstacles au développement du génie.

Mais, que je suis désabusée depuis que j'ai vu, avec autant de surprise que d'admiration, dans cette classe, où, soit par raison, soit par nécessité, les hommes permettent aux femmes de partager leurs travaux, les unes bêcher la terre, tenir le soc de la charrue, conduire la poste ; d'autres entreprendre de longs & pénibles voyages, pour raison de commerce, par le temps le plus rigoureux !

J'ajouterai que, malgré le défaut de notre éducation, on peut citer plusieurs femmes qui ont donné au public des productions utiles & lumineuses [1].

Enfin, n'en a-t-on pas vu tenir les rênes du gouvernement avec autant de sagesse, de prévoyance que de majesté [2] ?

Que nous faut-il de plus pour nous prouver que nous avons droit de nous plaindre de l'éducation qu'on nous donne, du préjugé qui nous rend esclaves, & de l'injustice avec laquelle on nous dépouille, en naissant, au

---

1. On lit, avec plaisir, les ouvrages de madame Dacier, madame des Houlieres, madame du Bocage ; madame la marquise du Châtelet, mademoiselle de Lussan, &c.

2. De ce nombre sont, Elisabeth, reine d'Angleterre ; Catherine, épouse de Pierre le Grand, Czarine ; Catherine Seconde, actuellement régnante ; & Marie, reine de Portugal.

moins dans plusieurs provinces, du bien que la nature & l'équité semblent devoir nous assurer.

Il est, dit-on, question d'accorder aux Nègres leur affranchissement; le peuple, presqu'aussi esclave qu'eux, va rentrer dans ses droits : c'est à la philosophie qui éclaire la nation, à qui l'on sera redevable de ces bienfaits; seroit-il possible qu'elle fût muette à notre égard, ou bien que, sourds à sa voix, & insensibles à sa lumière, les hommes persistassent à vouloir nous rendre victimes de leur orgueil ou de leur injustice?

O députés de la nation! c'est vous que j'invoque; puissiez-vous vous pénétrer des mêmes sentimens qui m'animent, & de la nécessité d'opérer, par l'influence de vos lumières, & la sagesse de vos délibérations, le succès de mes justes doléances.

Vous ne tromperez point mon attente; j'en ai pour garants les suffrages d'une infinité de citoyens éclairés qui ont mis leur sort & leur destinée dans vos mains, & l'obligation par vous contractée, de concourir à la réforme des abus & des préjugés absurdes ou atroces qui déshonorent la monarchie françoise.

C'est dans cette confiance que j'ose prendre la défense de mon sexe, & que ma plume timide, mais encouragée par la bonté de ma cause, s'exerce pour la première fois.

Je conçois que ma réclamation paroîtra d'abord au moins inconsidérée : *L'admission des femmes aux Etats-généraux est,* s'écriera-t-on, *une prétention d'un ridicule inconcevable;* jamais les femmes n'ont été admises dans les conseils des rois ou des républiques. Il y a plus : les souveraines qui ont gouverné les Etats, depuis Sémiramis jusqu'à nos jours, n'ont admis que des hommes dans leur conseil. La devise des femmes, est *travailler, obéir & se taire.*

Voilà certes un système digne de ces siècles d'ignorance, où les plus forts ont fait les loix, & soumis les plus foibles, mais dont, aujourd'hui, la lumière & la raison ont démontré l'absurdité.

Ce n'est point aux honneurs du gouvernement, ni aux avantages d'être initiées dans les secrets du ministère que nous aspirons ; mais nous croyons qu'il est de toute équité de permettre aux femmes, veuves ou filles possédant des terres ou autres propriétés, de porter leurs doléances au pied du trône ; qu'il est également juste de recueillir leurs suffrages, puisqu'elles sont obligées, comme les hommes, de payer les impositions royales & de remplir les engagements du commerce.

L'on alléguera peut-être que tout ce qu'il est possible de leur accorder, c'est de leur permettre de se faire représenter, par procuration, aux états-généraux.

On pourroit répondre qu'étant démontré, avec raison, qu'un noble ne peut représenter un roturier, ni celui-ci un noble ; de même, un homme ne pourroit, avec plus d'équité, représenter une femme, puisque les représentans doivent avoir absolument les mêmes intérêts que les représentés : les femmes ne pourroient donc être représentées que par des femmes.

Mais, si elles ne peuvent se faire entendre, si la politique du gouvernement l'emporte sur la justice ; si tout accès auprès des dépositaires de leurs destinées leur est interdit, ô citoyens vertueux & sensibles ! prenez du moins en considération l'iniquité attachée au préjugé qui les rend victimes & responsables des désordres de ceux de votre sexe qui, par leurs efforts, leurs ruses, leur noire perversité, sont parvenus à les tromper, à abuser de leur crédulité par leurs promesses, à les subjuguer par leurs sermens, à triompher de leur foiblesse, de leur inexpérience, de leur vertu.

Préjugé qui imprime, sur leur front, un caractère

ineffaçable d'ignominie, tandis que l'infâme suborneur s'applaudit de ses succès, se glorifie des pleurs qu'il fait couler, des pièges qu'il a tendus à l'innocence, de la honte & du malheur de son infortunée victime.

Hommes pervers & injustes ! pourquoi exigeriez-vous de nous plus de fermeté que vous n'en avez vous-mêmes ? Pourquoi nous imposez-vous la loi du déshonneur, quand, par vos manœuvres, vous avez su nous rendre sensibles & en obtenir l'aveu ? Quel droit avez-vous pour prétendre que nous devons résister à vos pressantes importunités, quand vous n'avez pas le courage de commander aux dérèglemens de vos passions ?

Ah ! sans doute, un tel préjugé est indigne d'une bonne constitution ; il révolteroit une nation moins frivole & plus conséquente dans ses principes.

Mais, quel moyen pourroit-on employer pour établir l'équilibre entre deux sexes formés du même limon, éprouvant les mêmes sensations, que la main du Créateur a fait l'un pour l'autre, qui adorent le même Dieu, qui obéissent au même souverain ? & pourquoi faut-il que la loi ne soit pas uniforme entre eux, que l'un ait tout & que l'autre n'ait rien ?

Ah ! nation légère, mais éclairée, reprends ton énergie, saisis, d'une main ferme, la balance de la justice & le flambeau de la philosophie ; puis, arrête tes regards sur ces vices de ta législation enfantée dans les ténèbres par l'ignorance & la barbarie ; gémis de tous les maux qu'ils ont causés, & hâte-toi de répondre au vœu de ton souverain qui te réunit pour stipuler sur les intérêts de son peuple, supprimer les abus, régénérer la constitution françoise par de nouvelles lois.

Il est donc en ton pouvoir de les rendre uniformes ; il est de ton devoir de redresser les sinuosités qui égarent, chaque jour, les officiers chargés de les faire exécuter. Il est, dis-je, d'une nécessité absolue de détruire toutes ces défectuosités monstrueuses des lois qui ont avili, corrompu l'esprit de la nation, & gangrené ses mœurs.

Ce n'est donc que par la réforme des lois qu'on peut se flatter d'opérer leur régénération & d'anéantir les préjugés. Mais que ces lois, dictées par la sagesse, soient un rempart contre l'oppression, & deviennent l'asyle de l'innocence.

Alors nos deux sexes, vertueux par principes, jouiront de la paix qu'inspire une douce & mutuelle confiance. L'homme tranquille au sein de la famille, ne craindra plus que son ami séduise sa femme ou sa fille, & déshonore sa maison.

Vous, qui allez devenir les arbitres du bien ou du mal, occupez-vous de changer les règles de notre éducation.

Ne nous élevez plus comme si nous étions destinées à faire les plaisirs du sérail.

Que notre félicité ne soit pas uniquement de plaire, puisque nous devons partager un jour votre bonne ou mauvaise fortune.

Ne vous privez pas des connoissances qui peuvent nous mettre à même de vous aider, soit par nos conseils, soit par nos travaux.

Ce n'est point avec les futilités dont on remplit nos têtes que nous pouvons vous remplacer, quand, par une mort naturelle ou prématurée, vous nous laissez chargées du soutien & de l'éducation de vos enfans.

Les gens oisifs & frivoles ne s'amuseront plus, à la vérité, dans les cercles des femmes, par les puérilités de leurs entretiens; mais aussi les personnes sensées verront, avec satisfaction, des mères de famille raisonnables & gaies s'occuper, avec fruit, du soin de leurs affaires domestiques, discuter, avec connoissance & discernement, les intérêts publics; leur esprit orné & dégagé d'intrigues, de jalousie & de colifichets, rendra leur commerce & leurs conversations aussi agréables qu'utiles.

Réunissez-vous, filles cauchoises, & vous, citoyennes des provinces régies par des coutumes aussi injustes & aussi ridicules ; pénétrez jusqu'au pied du trône, intéressez tout ce qui l'environne ; réclamez, sollicitez l'abolition d'une loi qui vous réduit à la misère dès que vous venez au monde, pour transporter à l'aîné de vos frères presque toute la fortune de vos pères, & qui vous prive absolument de toutes les successions possibles de vos familles, lorsque vous avez des frères.

C'est cette coutume inique qui a fait dire, *qu'un père pouvoit marier sa fille pour un chapeau de roses.*

C'est elle encore qui est cause de la mésintelligence qui existe dans les familles : le frère aîné, riche en proportion de ses sœurs, s'en éloigne ou par orgueil, ou par intérêt ; il craint d'en être humilié, ou qu'elles ne lui soient à charge.

Pères sensibles, & vous, êtres privilégiés que le choix de la patrie va illustrer à jamais, appuyez ces réclamations ! Songez que la haine, la jalousie, la discorde & la désunion régneront éternellement parmi vos enfans toutes les fois que vous n'aurez pas le droit de leur départir également votre fortune.

Ne perdez pas de vue qu'en Normandie sur-tout, la mort d'un père plonge ses filles dans la misère, s'il n'a pas déjà pourvu à leur établissement, & les livre à la merci d'un frère ordinairement dur & impérieux.

Réfléchissez encore que, quelques sacrifices que des pères puissent faire sur leurs économies, en faveur de leurs filles, ils ne sont jamais en état de leur procurer des alliances bien assorties.

La saine raison ne doit-elle pas être blessée d'une telle coutume, qui n'a, sans doute, été inventée que pour peupler des provinces où des hommes orgueilleux & tyrans sont venus s'établir ?

Réunissez-vous donc pour en opérer la proscription.

Que l'amour du bien public soit votre boussole, & que, pénétrés de la sublimité de vos fonctions, nulle considération ne puisse vous en écarter.

Que la bonté du monarque & l'esprit de patriotisme, dirigés par vos lumières & par la sagacité de cet homme immortel dont le nom passera à toutes les générations futures, assurent à la France le bonheur qu'elle attend. Il sera votre ouvrage ; & le moyen de le fixer, c'est de rendre les lois si claires & si précises, que la passion & la cupidité ne puissent s'y cacher sous de fausses interprétations.

Qu'elles soient désormais communes à toutes les provinces ; qu'elles soient dictées par la raison, la sagesse & la justice ; & rien ne manquera à votre gloire.

L'Europe attentive, & les yeux fixés sur vos opérations, regardera la France comme une nouvelle Grèce ; & nos rivaux, le dépit dans le cœur, seront forcés de vous admirer.

Je devrois terminer ici la tâche que je me suis imposée en prenant la plume ; cependant je me féliciterois d'y avoir ajouté quelques réflexions, si une seule pouvoit contribuer au bien général.

Je commençerai par celles qui ont rapport à l'objet principal de la sollicitude publique : *la dette nationale.*

Bien des gens pensent que le gouvernement seroit fondé à répéter, sur le clergé & la noblesse, les arrérages des justes impositions dont ils se sont affranchis sans le consentement de la nation. Ce n'est point à moi à combattre cette opinion presque générale ; mais il me semble que l'Etat pourroit trouver d'autres ressources :

1° Dans la confiscation, à son profit, de tous les biens

qui ont dû rentrer dans les domaines du roi, à la mort, sans postérité, de plusieurs souverains, dont les états étoient situés au midi de la France, & dont les propriétaires actuels n'auroient d'autres titres qu'une possession usurpée.

2° De ceux qui ont été donnés par legs, ou autrement, à des conditions impossibles. Si l'on fouilloit dans les archives des chapitres, des abbayes & communautés religieuses, on trouveroit, dans leurs chartres, des titres de possession aussi révoltans qu'illégitimes, tels que ceux qui ont dépouillé de leur fortune, des pères de famille assez ignorans, ou assez fanatiques pour en faire l'abandon en faveur de l'Eglise, *dépositaire des biens des fidèles* (selon la morale de quelques ministres) & *distributrice des grâces de l'Eternel,* dont elle les rendroit participans au moyen de leurs sacrifices [1].

Seroit-il donc possible qu'à la fin du dix-huitième siècle l'on fût encore esclave du fanatisme, & qu'on ne pût faire ces recherches & ces réclamations sans être frappé d'anathème, parce que c'étoient des sacrificateurs du Dieu que nous adorons qui ont trompé la crédulité des peuples ?

Ce ne seroit point une main profane que l'on porteroit sur l'arche sacrée ; ce seroit, au contraire, un acte de justice conforme aux loix, qui ne permettent pas qu'un voleur, lorsqu'il est convaincu, jouisse paisiblement du

---

1. Il doit exister, dans les chartres de l'abbaye des bénédictins de Saint-Evroult, diocèse de Lizieux, un acte de donation d'un bien en faveur des moines, à la charge & condition par eux *d'assurer le paradis* à leur bienfaiteur, à la femme & à son fils aîné.

Dupleix, Mézerai & autres historiens françois nous apprennent que Saint Bernard, du temps des croisades, promettoit aux croisés qui vendoient, à vil prix, leurs terres, ou les donnoient aux bernardins, autant de places dans le paradis qu'ils en abandonnoient sur terre.

fruit de son crime ; ou les effets volés sont restitués à qui ils appartiennent, ou ils sont confisqués au profit du roi.

Tous les biens mal acquis, je les joindrois donc à ceux des maisons religieuses supprimées (des jésuites par exemple [1]) ; je formerois, de cet ensemble, une masse qui serviroit à libérer la nation ; &, si toutes ces ressources étoient insuffisantes, j'établirois un impôt sur les objets de luxe simplement, me gardant bien de frapper sur les comestibles, ni sur ce qui pourroit gêner la prospérité du commerce, & moins encore sur le peuple indigent & laborieux.

Il est aussi une classe, dans l'ordre du clergé, aussi respectable par ses mœurs que par les services qu'elle rend à tous les citoyens, qui mérite votre attention : c'est celle des curés, qu'on peut appeler justement, l'Eglise enseignante. La plupart d'entre eux, ainsi que leurs vicaires qui partagent leur zèle & leurs travaux, n'ont pas assez pour vivre ; le gouvernement doit se faire un devoir de proportionner plus également les biens légitimes de l'Eglise, afin que ces ministres, vraiment nécessaires, trouvent, dans leurs revenus, de quoi remplir dignement leurs fonctions, & secourir les citoyens honteux de leur pauvreté, qui n'osent déclarer, qu'à leur curé, la misère qui les accable.

Il y auroit beaucoup plus à dire sur l'ordre du clergé : j'en pense infiniment davantage ; mais il n'appartient pas à une femme de donner, à ce sujet, toute l'extension dont il seroit susceptible. Je voulois seulement donner l'aperçu des ressources que l'Etat peut trouver dans la confiscation des biens injustement possédés, & qui ne

1. Les revenus des biens des jésuites n'ont pu, depuis près de trente ans, acquitter leurs dettes. Les frais de direction absorbent presque tout : les avocats & procureurs sont intéressés à les éterniser ; c'est un abus auquel il faudroit remédier.

peut blesser le devoir d'un souverain de maintenir les propriétés.

Que vos observations se portent aussi sur les moyens de faire fleurir le commerce en France ; il est le nerf principal d'un Etat. Ne souffrez pas sur-tout qu'il soit avili par des banqueroutes frauduleuses.

Etablissez que les banqueroutiers, qui ne prouveront point clairement des pertes réelles, seront flétris d'un *B* imprimé sur la joue, afin d'annoncer à tout l'univers que les commerçans, en France, sont déshonorés quand ils manquent de probité.

Que les frais de justice soient modérés ; qu'un créancier ne soit pas forcé de sacrifier une partie de sa fortune pour faire condamner un faillant.

Qu'on proscrive les arrêts de surséance & les sauf-conduits, qui sont un attentat à la propriété ; & que, si on laisse subsister les arrêts de défense, ils n'occasionnent pas plus de frais au créancier qu'ils ne coûtent au débiteur.

Par cet ordre, vous rétablirez la confiance ; vos navires seront accueillis dans tous les ports de l'Europe, & le nom françois sera en recommandation chez l'étranger.

Arrêtez aussi qu'on ne pourra condamner à mort que ceux qui seront coupables de meurtre ou de lèse-majesté ; que les autres criminels soient flétris, non sur l'épaule, mais sur la joue, d'*une lettre* qui annonce au public le genre de crime qu'ils auront commis & que tous, marqués du sceau de la réprobation, soient employés à des travaux publics si nécessaires en France, soit pour faire des canaux, couper des montagnes, sécher des marais, soit pour nettoyer les villes, adoucir les chemins & les entretenir.

Qu'ils soient mis sous la conduite de gens sûrs qui en répondent, non dans la crainte qu'ils ne passent en pays étranger, ils y porteroient la marque de leur iniquité ;

mais pour s'assurer de leurs personnes & se préserver des nouveaux forfaits qu'ils seroient capables de commettre.

On ne doit pas douter qu'il n'y eût moins de criminels, si la mort n'étoit pas leur punition, & ne terminoit leur pénible existence.

En m'adressant aux députés du tiers des provinces réputées étrangères, je leur dirai : Etres infortunés ! voici le moment de réclamer contre la servitude à laquelle vos tyrans vous ont réduits ; jusqu'à ce jour vous n'avez joui que du droit d'adoption ; soyez désormais enfans légitimes ; devenez tout-à-fait françois.

Renoncez aux prétendues franchises que vos seigneurs suzerains vous font payer trop cher, par les droits qu'ils se sont réservés sur vos personnes ainsi que sur vos propriétés, dont vos enfans & vos héritiers légitimes sont frustrés, si, à l'instant fatal où vous cessez d'être, le hasard ou des affaires les ont éloignés de vous, qui vous privent de la douce satisfaction de dire comme nous : *Je travaille pour mes enfans.*

Demandez, avec tous les membres qui composeront l'Assemblée nationale ; obtenez, décidez & arrêtez enfin.

Que la nation réunie ne fasse plus qu'une même famille, régie par la même coutume, n'ayant qu'un même poids & une même mesure.

Que les barrières qui nous séparent & nous interdisent, pour ainsi dire, la faculté de nous secourir mutuellement en nous procurant les produits de nos différentes provinces, soient portées aux frontières.

Enfin, soyons tous frères, & plus encore, soyons amis ; défendons courageusement notre patrie ; aimons notre roi ; que la probité & la justice dirigent nos actions, & nous serons heureux.

B... B...

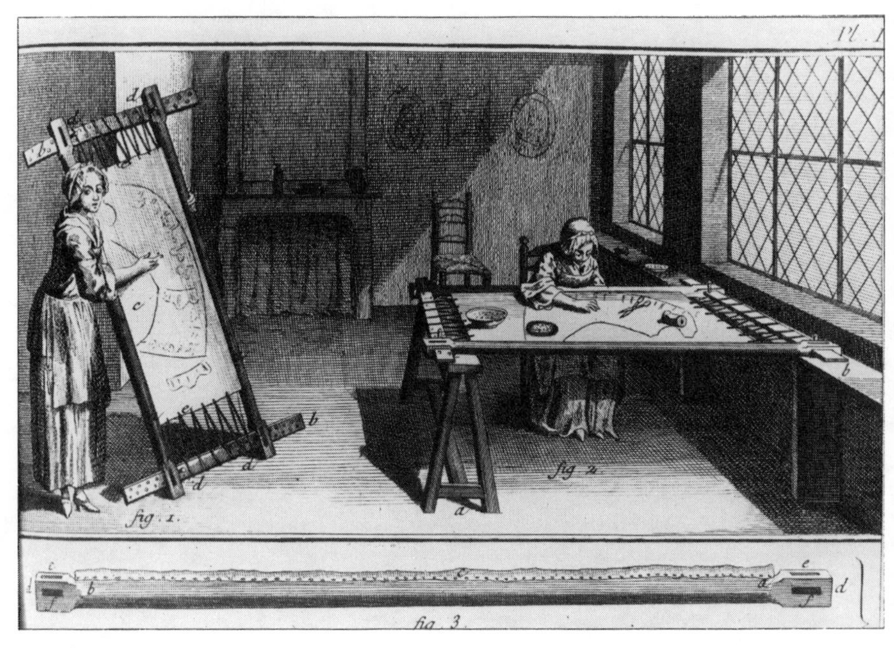

Brodeuses.
Gravure extraite de l'Encyclopédie Diderot, tome II

DOLÉANCES DES MARCHANDES DE MODE, PLUMASSIÈRES FLEURISTES DE PARIS

COLLECTIF 28 Mai 1789

Que la communauté par respect pour les ordres du roi n'a pas voulu réclamer contre la convocation qui s'est faite par quartiers pour les états généraux, lorsqu'au terme des règlements elle devait se faire par corporations. Mais que cette communauté nombreuse payant annuellement au roi une somme considérable tant en impositions qu'en droits de maîtrise et autres pouvoirs espère être représentée.

Article 1

Demande de la communauté que tous les privilèges en lieux privilégiés soient en demeure supprimés notamment les enclos du temple, Saint-Martin-des-Champs, Saint-Germain-des-Prés, Saint-Jean-de-Latran, Saint-Denis-de-la-Chartre et autres en dedans des murs de la Ville de Paris.

Ces endroits sont le refuge d'un grand nombre de marchands, négociants, ouvriers sans qualité, ne payant point de maîtrise ni d'autres droits au roi ni aux corps et communautés étant classées disciplinées et inspectées par les gardes syndics et adjoints, ce qui donne lieu à une infinité d'abus et porte le plus grand préjugé au commerce et aux droits des corps et communautés.

Ces endroits sont encore le refuge des personnes qui après avoir fait des achats considérables de marchandises font dans les manufactures, magasins et boutiques par leur retraite dans ces privilèges, la loi aux créanciers, qui sont contraints au lieu de tout perdre d'accepter toutes les conditions qui leur sont proposées par les débiteurs.

Article 2

Que les monts-de-piété établis par lettres patentes soient en demeure supprimés. Ces établissements, quoiqu'ayant paru dans leur origine une sûreté pour les effets du public, ont donné lieu à nombre d'abus et fait un tort très considérable au commerce en général.

Article 3

Que les ventes publiques ne soient permises qu'à celles connues après décès par autorité de justice ou cessation d'un commerce.

Article 4

Que la fixation des droits de réception à la maîtrise actuellement de 500 livres continue seulement pour les apprenties et filles de marchandes qui justifieront avoir travaillé pendant trois années au moins chez les maîtresses et qu'a l'égard des autres personnes sans qualité qui voudront former des établissements, soient tenues de payer par les dits droits la somme de 700 livres : avantages pour les intérêts du roi, de la communauté et notamment pour le commerce de la mode.

Article 5

Que la communauté puisse faire la répartition de sa capitation sans entraves, en conséquence que les classes prescrites par l'arrêt du conseil du 14 mars 1779 soient supprimées. Il est plus facile d'augmenter ou diminuer avec équité la capitation d'une marchande de 20 à 40 sols que de faire passer d'une classe à une autre. Que le droit nommé industrie soit supprimé et que les syndiqués comptables versent directement les impositions au pouvoir royal.

Article 6

Que les veufs et veuves puissent continuer le commerce sans être tenus de payer aucun droit que leur imposition annuelle et cependant leur viduité seulement.

Article 7

Qu'il ne sera accordé aucun arrêté de surséance, sauf conduit, arrêté de défense et autres qui puissent procurer le moyen aux débiteurs de se soustraire à la poursuite de leurs créanciers dans les matières consulaires, à moins que ce soit du consentement des créanciers.

Article 8

Que la connaissance de tous les billets à ordre, causés pour valeur en marchandises soit attribuée aux juges en consul. En conséquence de quelque état et condition que ce puisse être qui souscriront des billets ainsi motivés et qui n'auront pas acquitté à leur échéance, soient contraignables par corps comme le sont les accepteurs de lettres de change.

Ce sont les vœux et doléances particulières en commun à tous les corps et communautés d'arts et métiers de

Paris, que celles des marchands de mode a cru devoir adresser aux Etats Généraux, de la justice et prudence desquels elle espère aussi, par des règlements sages et équitables, l'amélioration du commerce, le rétablissement de la confiance dans les opérations inséparables de l'intérêt du roi à l'égard de ses finances en cette partie, et enfin le bien général de la nation.

Tout était en délibéré au bureau de la communauté des marchands de mode, plumassiers, fleuristes de Paris où se sont assemblés les syndiqués, adjoints et députés en exercice, le 28 mai 1789.

F. Campeau, F. Jourdan, M. Roussel, Guiller, F. Michaux, J. Catelin, Bouteron, Chambigny, Bertrand et Barbieu.

CAHIER DE DOLÉANCES DES BOUQUETIÈRES

COLLECTIF 23 Juin 1789

Lettre des marchandes bouquetières, fleuristes, chapelières en fleurs à Monsieur le Directeur général des finances.

Dans un moment où tout le monde réclame ses droits, ses privilèges et ses propriétés, nous avons cru devoir adresser nos doléances à l'Assemblée de la Nation. La reconnaissance que nous vous devons, monseigneur, la protection que vous daignez accorder à la classe la plus indigente des citoyens fait que nous ne pouvons vous dissimuler le motif de nos réclamations. C'est pourquoi nous avons l'honneur de vous adresser une copie de notre mémoire ci-joint : nous vous supplions monseigneur de nous continuer votre bienveillance et de nous rétablir dans nos anciens droits. Nous sommes toujours prêtes à exhiber les titres authentiques dont nous nous prévalons.

Signé : les marchandes bouquetières, fleuristes, chapelières en fleurs en la personne de Madame

Marlé syndique de la communauté rue du Mouton.

Doléances[1] des marchandes bouquetières, fleuristes, chapelières en fleurs de la ville et faubourgs de Paris présentées aux Etats Généraux le 23 juin 1789.

« La liberté donnée à tous les citoyens de dénoncer aux représentants de la Nation les abus qui les pressent de toutes parts est sans doute un présage assuré d'une prochaine réforme.

Dans cette confiance, les marchandes bouquetières formant ci-devant la communauté des maîtresses bouquetières et marchandes chapelières en fleurs de la Ville et faubourgs de Paris osent s'adresser à vous nos seigneurs[2]. Ce ne sont pas de simples abus dont elles demandent le redressement. C'est leur état, c'est leur existence tout entière dont les a privées l'erreur sans doute involontaire d'un des anciens ministres de Sa Majesté, qu'elles réclament en ce moment.

Les marchandes bouquetières, avant même de former une communauté et d'être érigées en corps de jurande, avaient déjà des statuts qu'elles observaient entre elles sous l'autorité et juridiction du Prévôt de Paris ou de son lieutenant général de police.

Cette espèce de jurande, tout imparfaite qu'elle était, prévenait sans doute quelques abus. Cependant on reconnut bientôt que ces précautions seraient insuffisantes pour maintenir le bon ordre, tant que l'on ne confierait pas aux bouquetières elles-mêmes le soin de leur police

---

1. Arch. nat. BIII 115, f° 631-645, avec la lettre d'envoi au directeur général des finances, en raison de « la protection qu'il daigne accorder à la classe la plus indigente des citoyens » (23 juin 1789).

2. Les Etats Généraux. *(Notes des éditrices.)*

intérieure ; elles furent en conséquence érigées en communauté.

En 1735, les maîtresses bouquetières ont obtenu des bontés de Louis XV la confirmation de leur communauté et de nouveaux règlements, dont l'exécution a été ordonnée par des lettres-patentes du 26 septembre 1736, enregistrées au Parlement le 18 octobre 1737.

Les maîtresses bouquetières qui avaient subi un apprentissage de trois ans et qui avaient payé des droits considérables de maîtrise jouissaient en paix de leur état, lorsqu'elles s'en sont vues privées tout à coup par la suppression de leur communauté.

Le silence oppresseur des ministres, les menaces dont on les armait, sans doute à leur insu, la froideur repoussante de leurs commis ont alors étouffé leurs cris, mais aujourd'hui qu'un meilleur ordre se prépare, elles espèrent tout de la justice du prince et de celle des Etats.

Aux yeux de tous autres que des représentants éclairés de la Nation, la réclamation des suppliantes ne paraîtrait peut-être pas mériter le sacrifice de quelques-uns de ces instants précieux consacrés à l'examen des grands intérêts qui vont les occuper ; mais elles n'ont pas à craindre d'être rebutées : ils savent, les dignes représentants du peuple français, qu'ils se doivent plus particulièrement à la classe la plus indigente. Plus les hommes sont malheureux, plus leurs droits sont sacrés, leur état surtout étant toute leur fortune. Sa conservation ne peut manquer d'intéresser les députés de la Nation et de fixer leur attention.

La réclamation des suppliantes tient d'ailleurs à une question importante dont la décision est soumise aux Etats : celle de savoir s'il serait utile ou non de laisser à tous les individus la liberté indéfinie de se livrer à toute sorte de commerce.

Qu'il soit permis aux suppliantes de hasarder ici

quelques réflexions qui pourront peut-être préparer la décision de cette grande question.

Dans la police du commerce et des arts, deux choses sont à considérer. Il faut tellement organiser les corps, que chaque individu qui s'adonne à une profession puisse trouver dans son travail sa subsistance et celle de ses enfants. Il ne faut pas cependant rendre l'accès des professions, et surtout de celles qui sont particulièrement consacrées à la classe peu fortunée, assez difficile pour en écarter l'industrie indigente et étouffer l'émulation.

Cette combinaison, sur laquelle reposent le bonheur commun et la prospérité du commerce, serait nécessairement détruite par la liberté indéfinie.

La trop grande facilité laissée par les édits de 1776 et 1777 n'a fait que trop sentir dans toutes les professions les inconvénients de cette liberté. La multitude des marchands ne produit pas, à beaucoup près, l'effet salutaire que l'on semblait devoir attendre de la concurrence. Comme le nombre des consommations n'augmente pas en proportion du nombre des artisans, ils se nuisent nécessairement l'un à l'autre, ne pouvant obtenir la préférence auprès des acheteurs qu'en baissant le prix de leurs marchandises. La détresse et la nécessité de vendre à bas prix les portent à en fabriquer de mauvaises ou à tromper sur la qualité de celles qu'ils débitent ; si, par là, ils retardent leur ruine, ils portent des coups mortels au commerce.

Plus une profession est circonscrite, moins elle offre de ressources, plus il est important de diminuer le nombre des concurrents. C'est ce que les suppliantes ont malheureusement éprouvé depuis la suppression de leur communauté. Leur état, quoique borné, leur offrait, avant cette suppression, des ressources suffisantes pour vivre et élever leurs enfants. Aujourd'hui que tout le monde peut vendre des fleurs et composer des bouquets, leur modiques bénéfices se subdivisent au point de ne plus leur laisser les moyens de subsister.

L'appât de ce gain, tout borné qu'il soit, et plus encore une forte propension à l'oisiveté déterminent cependant une foule de jeunes personnes du sexe à faire la profession des suppliantes ; et, comme leur état ne peut les nourrir, elles cherchent dans le libertinage et la plus honteuse débauche les ressources qui leur manquent. La cause des suppliantes est aussi celle des mœurs.

Le commerce de fleurs en lui-même ne souffre pas moins de cette anarchie. Plus de police sur le carreau de la Halle. Toutes les filles sans principes, qu'aucune loi, aucune bienséance ne retient, se jettent sur les marchandises qu'apportent les jardiniers-fleuristes, les pillent ou les écrasent, en fixent arbitrairement le prix ; et il n'arrive que trop souvent que les jardiniers perdent ainsi le fruit précieux de leur sueur. De là des rixes dans lesquelles ces colporteuses sont soutenues par des soldats et des gens sans aveu ; de là cet abus survenu depuis la liberté accordée au commerce des marchandes bouquetières : ces filles non marchandes ont imaginé de ficher des branches de fleur d'oranger avec des épingles ou des fleurs factices qu'elles adaptent après lesdites branches ; d'attacher plusieurs œillets ensemble et de les appliquer sur des cartes, afin de les vendre pour un seul, ce qui est contraire au bon ordre, de la police de leur commerce.

Tous ces abus, que le rétablissement seul de la communauté peut réprimer, sont contraires au bon ordre et décourageants pour les jardiniers qui se livrent à la culture des fleurs. Les inconvénients produits par ces désordres ont été sentis dans tous les temps et ce sont eux qui ont déterminé en 1736 la confirmation des nouveaux statuts de la communauté des maîtresses bouquetières.

Les suppliantes osent donc attendre de l'équité des

Etats le rétablissement de leur communauté. C'est, d'ailleurs, une justice qui leur est due, puisqu'elles ont payé au Roi des sommes considérables pour jouir des avantages de leur profession, avantages dont elles sont privées par la trop grande concurrence et les désordres qu'elle entraîne.

Les suppliantes demandent qu'il soit pourvu à une police qui empêche une quantité de gens qui, sous le titre d'état libre, restent toutes les nuits (et notamment les veilles des fêtes de patrons) sur le carreau de la Halle, pour attendre les jardiniers et à dessein de surprendre leur bonne foi, dévastent soit arbitrairement ou d'autorité les marchés avant l'heure qu'il est d'usage de faire la vente desdites fleurs. Ces mêmes gens se sont écartés de la droiture jusqu'à se transporter dans les campagnes où ils ont dévasté les parterres et orangeries des seigneurs et des maisons particulières.

Les anciennes journalières bouquetières sont réduites à la dernière des misères par les différentes espèces de gens qui se sont mis à vendre des fleurs. Depuis la liberté de cette branche de commerce, les suppliantes voient avec douleur (sans emploi) ces mères de famille qu'elles soutenaient en leur payant trente sols par jour et la nourriture ; aux basses fêtes, quatre livres dix sols pour deux jours et demi et, aux hautes fêtes, à raison de neuf livres aussi pour deux jours et demi ; ce qui les mettait à portée de pouvoir élever leur petite famille.

La liberté, en faveur de laquelle réclament tous les Ordres de l'Etat, ne peut mettre d'obstacle à la demande des suppliantes. La liberté est ennemie de la licence, et les citoyens seront libres toutes les fois qu'ils n'obéiront qu'aux lois qu'ils se seront eux-mêmes imposées.

C'est surtout entre les mains des députés du Tiers que les suppliantes déposent leurs justes réclamations. Ils sont encore plus particulièrement que les autres leurs représentants, leurs amis et leurs frères, et c'est à eux qu'il appartient de plaider la cause des indigents.

D'après ces considérations, qu'il y ait un ordre établi et irrévocable et des défenses émanées de la part de Sa Majesté qu'aucune marchande bouquetière ni autre personne, sous quelque prétexte que ce soit, puisse acheter ni vendre des fleurs depuis Pâques jusqu'à la Saint-Martin avant quatre heures du matin, et depuis la Saint-Martin jusqu'à Pâques avant six heures aussi du matin.

Les suppliantes ne cesseront de faire des vœux au ciel pour la conservation et prospérité des représentants de la Nation. »

Signé : Lesdites marchandes, en la personne de Madame Marlé, syndique de la communauté.

Des religieuses

DOLÉANCES DES DAMES RELIGIEUSES DE LA VILLE D'AUPS
SÉNÉCHAUSSÉE DE DRAGUIGNAN

COLLECTIF 26 Mars 1789

Aups

Le soussigné des dames religieuses ursulines de la présentation de Notre Dame de la ville d'Aups, a l'honneur de représenter que les dites dames ne jouissent que d'un revenu insuffisant pour subvenir à leurs besoins. Elles sont au nombre de 22 et elles n'ont que 9 000 et quelques livres de rente. Si l'on fait attention qu'elles habitent une maison fort vaste et sujette à beaucoup de réparations à cause de la vétusté; qu'elles sont dans un pays froid et au quartier de la ville le plus exposé au vent et que pour s'en garantir il leur faut une grande quantité de bois; qu'à Aups les vivres sont plus chers que dans beaucoup d'autres villes soit à cause des vires, soit à cause de l'éloignement de la mer; que la plus grande partie de la communauté a une santé fort délicate; si l'on considère enfin toutes les dépenses auxquelles elles sont soumises, comme l'entretien de l'église, les gages et la nourriture des domestiques, les remèdes pour les malades, les honoraires d'un médecin, d'un chirurgien, d'un aumônier et une infinité d'autres dépenses d'une absolue nécessité, on n'aura pas de peine à se persuader qu'un revenu de 9 000 livres ne peut suffire aux besoins des dites dames religieuses. Elles se voient donc obligées de demander qu'on les décharge des 195 livres de décimes qu'on exige d'elles puisqu'elles ne possèdent aucun fonds noble et qui ne soit sujet aux impositions communes.

A Aups le 26 mars 1789.

PLAINTES ET REMONTRANCES DES SŒURS PÉNITENTES D'HONDTSCHOOTE

COLLECTIF
Mars 1789

Hondtshoote

Mémoire, plaintes, doléances et remontrances faites par les Sœurs pénitentes récollectines de la congrégation de Limbourg, du tiers ordre de Saint-François, en la ville d'Hondtschoote, pour être représenté par leur fondé procureur[1] à l'assemblé au bailliage royal à Baillieul, le trente mars de la présente année 1789, pour ensuite être représenté à l'assemblée des États Généraux.

Les dites religieuses, au nombre de seize, ont une servante en dehors. Ayant ouï dire que les messieurs du tiers état ont la volonté de les taxer de nouveau sur la bière et le vin, elles font leurs très humbles remontrances que pareille taxation leur seroit fort à charge, et inouïe dans la province, et elles espèrent que la bonté du roy y aura égard à cause de l'utilité qu'elles sont pour le public. Car elles tiennent un pensionnat de toutes sortes des personnes sottes, lunatiques, imbéciles et autres

1. Représentées à l'assemblée de Bailleul par M. Becquet. *(Note des éditrices.)*

quelconques, et cela pour un prix fort raisonnable. Il semble pour cette raison qu'on doit avoir égard pour les susdites religieuses, et que le bien-être du tiers état demande qu'on les maintient dans tous leurs droits et privilèges de cette nature : que feroit à la vérité le public peu à son aise, avec des personnes qui ont le malheur de perdre l'esprit s'il n'existoit des couvents charitables pour les gouverner ?

L'Etat devroit donc s'en charger : et par conséquent, ce seroit chercher à augmenter la dette nationale, en place de la diminuer. On veut en outre charger les mêmes sœurs à rouvrir leurs écoles qu'elles ont fermées depuis peu d'années, mais ces messieurs ne font certainement pas attention, que les susdites religieuses n'ont agi de la sorte que par pure nécessité : car peut-on tenir école sans maîtresses ?

Et comment fournir des maîtresses quand on ne les a pas ? Ces messieurs doivent bien savoir, que, si les susdites pénitentes étoient en nombre suffisant, qu'elles n'auroient jamais fermé leurs écoles, car elles ne sont pas riches, et depuis l'état de leurs biens qu'elles ont donnés au parlement de Flandre, elles ont perdu une grande ferme qui étoit la plus belle épingle de leur voile : Elles ne sont pas riches, dis-je, car leurs revenus ne vont pas au-delà de huit cent francs, elles ont donc du mal à vivre. D'ailleurs, y a-t-il couvent, excepté les riches abbayes, surtout dans cette province, qui puisse se maintenir et vivre à son aise, sans être frappé de mille craintes et angoisses pour l'avenir quant on considère le passé ? L'édit du seigneur roy de mil six cent quatre vingt un ne fit-il pas trembler les pauvres communautés ? Celui de mil sept cent trente six n'occasionnoit-il pas des nouvelles angoisses ? Et finalement quelles vives inquiétudes ne donne pas le dernier édit ordonnant de recevoir des religieuses sans dot ? Ne semble-t-il pas qu'on a captivé la bonté du monarque, et ce qu'il vouloit être exécuté à l'égard des riches communautés, qu'on l'a sans distinction étendu à toutes communautés quelconques : il y a donc une humble supplique à faire au seigneur roy, comme les susdites religieuses font très humblement par la présente, qu'il plaise à Sa Majesté, si elle veut maintenir et conserver dans sa province de Flandre les religieuses du deuzième et troisième ordre de Saint-François, de lui accorder :

Primo. Qu'elles puissent recevoir les postulantes avec une dot convenable pour leur entretien.

Et secondo. Qu'il plaise au même seigneur roy de leur accorder l'emploi de leur argent par la voie ordinaire de la constitution des rentes, à toutes personnes, soit séculières soit régulières, comme étant le seul et unique moyen de les faire subsister.

Les susdites religieuses ont une vraie espérance que Sa Majesté, qui se montre débonnaire et affable à tous ses sujets daignera de peser dans la balance de sa justice la droite raison de leurs demandes, doléances, plaintes, et remontrances, et qu'elle accordera ce moyen unique pour faire subsister celles qui demandent jour et nuit par leurs prières la conservation du dit seigneur roy, de sa famille royale et la prospérité de tous les sujets de son vaste royaume.

Fait au couvent des susdites religieuses de la même ville et seigneurie dudit Hondtschoote, en présence des sœurs discrètes qui représentent la communauté, et cacheté et soussigné par elles en personne.

Sr Séraphine de Caesteker, mère supérieure, Sr Marie Dorothée Van Oudendycke, mère vicaire, Sr Bernardine Annycke, discrète, Sr Anna Clare Hebben, discrète.

DOLÉANCES DES SŒURS GRISES D'HONDTSCHOOTE

COLLECTIF Mars 1789

Hondtschoote

Doléances du Couvent des sœurs tierciaires dites sœurs grises[1] de la ville et seigneurie d'Hondtschoote.

Etant constitué procureur pour le couvent des sœurs tierciaires dites sœurs grises de la ville d'Hondtschoote, et par cette charge étant autorisé de faire des plaintes, doléances, remontrances conformément, selon l'expression de Sa Majesté elle-même, il est de mon devoir, ayant ouï que les Messieurs du tiers état de la même ville d'Hondtschoote veulent charger les dites sœurs de garder les malades en ville et à la campagne; il est de mon devoir, dis-je, de faire observer, que cette charge très pénible par elle-même, n'a jamais été exercée ni par elles, ni par leurs ancêtres, comme ces messieurs le prétendent bien. Ils sont donc dans un faux supposé, quand ils prétendent que les dites sœurs ont autrefois exercé la même fonction, comme on peut faire voir par

1. Représentées à l'assemblée de Bailleul par M. Becquet. *(Note des éditrices.)*

des pièces authentiques. En outre les dites sœurs sont par leur profession obligées à l'office romain, et elles y ont été astreintes depuis leur établissement à Hondtschoote, preuve incontestable qu'elles n'ont jamais été reçues pour exercer cette charge ; puisque toutes celles gardantes malades n'ont jamais été astreintes à l'office divin, mais à l'office de la très Sainte Vierge. Elles protestent donc contre cette demande : premièrement, comme étant incapables de remplir cette charge ; et à la vérité leur communauté n'étant que de vingt avec les converses, je puis protester que le tiers est hors d'âge de remplir cette charge.

Secondement, que l'autre tiers est d'une nécessité absolue pour le travail manuel du couvent.

Et troisièmement, le tiers restant pour l'office divin et le besoin des vieilles et malades. D'ailleurs accorde-t-on si facilement ce qu'on demande, surtout lorsqu'il s'agit de léser la liberté d'un corps qui, quoique petit, ne laisse pas d'être l'objet de la bonté et de la justice d'un bon roy ?

Et seroit-il difficile de prouver qu'on cherche à léser les susdites religieuses dans cette partie si chère à l'homme ? Etant nées libres, par la même liberté elles choisirent un couvent pour y mener une vie monastique : telle fut leur liberté, tel fut leur goût, tel en un mot fut leur choix ; et si au pied des autels, prêtes à se consacrer à Dieu, on leur auroit demandé pareille question, toutes sans contredire auroient répondu : si j'avois voulu être garde-malade j'aurois choisi un hôpital. Par conséquent personne n'auroit fait ses vœux. Elles insistent donc fortement afin qu'il plaise à la volonté du trône de leur maintenir dans leurs libertés, afin qu'il ne soit pas dit que celle qui fit ses vœux au pied des autels pour embrasser une [vie] monastique et éloignée du monde, se trouve contre le choix de sa liberté enveloppée dans la foule du monde et tout d'un coup métamorphosée en une garde-malade.

A l'égard de toute autre demande que les messieurs du tiers état de la ville et seigneurie d'Hondtschoote veulent charger les dites religieuses, elles espèrent dans la bonté d'un roy, dont les bienfaits ne cessent de combler ses sujets. Il semble que ces messieurs prétendent de leur ôter le droit des fossés, droit qu'elles ont depuis un temps immémorial, mais elles espèrent qu'on ne leur ôtera pas le droit sans en venir à des demandes ultérieures. Et par conséquent elles pourront recourir alors, comme elles font par la présente, à la bonté et à la justice du roy.

Sr Catherine Ryssael, supérieure, Sr Régina Ballog, Sr vicaire, la marque de sœur Thérèse Torrée, Sr Beatrice Ducampt, Sr Constance de Laeter, discrète, Sr Joanna Mastaert, Sr Marie Eugenie Marten, Sr Stanswete Vanschingel, Sr Cornillie Louwage, Sr Angela Hennewyn, Sr Anna Wyvert, Sr Jacoba Debreyne, Sr Anna Wyvert, Sr Placide Rousseel, Sr Joseph Patfoo, Sr Natalie Salomé, Sr Isabelle Baert.

LIBERTE

II

INITIATIVES ET ACTES DE FEMMES

MOTION À FAIRE

ET ARRÊTÉ À PRENDRE DANS LES DIFFÉRENTES CLASSES [1] ET CORPORATIONS DE CITOYENNES FRANÇOISES.

ANONYME — Septembre 1789

D'un bout du Royaume à l'autre une révolution étonnante s'est faite avec une rapidité plus étonnante encore ; le patriotisme a produit des miracles ; l'histoire n'offre point d'exemple d'un peuple qui ait aussi promptement reconquis sa Liberté, détruit autant d'abus, dompté autant de préjugés ; nous avons en trois jours fait l'ouvrage d'un siècle.

Reculerons-nous après avoir avancé à pas de géants ? Perdrons-nous le fruit de ce qui est déjà fait, et l'espoir de tout ce qui reste à faire ? Non : les François l'ont tous juré ; ils seront libres et heureux.

Mais en attendant ce bonheur qu'une nouvelle constitution nous promet, l'Etat éprouve une crise terrible ; les

---

1. Le plus grand nombre de Citoyennes ne formant point de corporations et n'ayant d'état que celui de leurs époux, se réuniront et formeront des associations suivant ces états, chacune dans leur classe ; ainsi les femmes de marchands s'associeront avec celles de marchands du même Corps ; de même pour les femmes de Militaires, de Magistrats, d'Artistes, de Finance, de Robe, &... celles de Bourgeois, de Rentiers, pourront former des associations par Districts.

besoins publics sont montés au comble, et jamais les moyens d'y satisfaire n'ont été aussi affoiblis ; les impôts ne sont point perçus ; le Trésor royal ne peut subvenir qu'à peine au payement des rentes et aux dépenses les plus urgentes ; la dette nationale, mise sous la sauvegarde de l'honneur, de la loyauté françoise, est en danger ; le commerce, l'une des principales sources des richesses de la nation, souffre et languit par la rareté du numéraire...

Si, dans ces circonstances alarmantes, Dieu, qui veille sur la France, avoit inspiré à quelqu'âme généreuse un projet vraiment patriotique et qui dût sauver tout l'Etat ! Si au prix d'un léger sacrifice particulier, on pouvoit acheter pour toujours sa tranquillité et celle de tous ses Citoyens ! S'il étoit réservé à ce Sexe aimable et sensible, qui déjà a concouru à la révolution, en enflammant, en encourageant les Héros qui l'ont faite, s'il lui étoit réservé d'achever, d'affermir ce grand ouvrage !

Jadis, à Rome, dans un besoin pressant de la République, on vit les Dames romaines s'assembler et délibérer, d'un commun consentement, de porter au Trésor public leurs Bijoux d'or et d'argent ; elles en firent de bon cœur le sacrifice à la Patrie ; leur don fut accepté avec transport ; le Sénat leur décerna des honneurs, entr'autres celui d'être louées, après leur mort, par des Oraisons funèbres, ce qui n'avoit eu lieu jusqu'alors que pour les grands hommes.

Françoises, cet exemple vous dit ce que vous pouvez faire ; pourquoi ne l'imiteriez-vous pas ? Etes-vous moins Citoyennes, moins attachées à vos époux, à vos enfants, à votre patrie que ne l'étoient les Dames romaines ?... Mais que dis-je ? déjà ce noble projet est formé, déjà on a commencé à l'exécuter; la vertueuse épouse[1] d'un Artiste distingué, a la première conçu le dessein et l'espérance d'appeler tout son sexe au secours de la Patrie en danger; déjà elle a exécuté ce noble projet; déjà plusieurs femmes ont imité ce grand exemple; l'Assemblée Nationale a accordé des honneurs à ces généreuses Citoyennes, en invitant toutes les Françoises à les imiter; une association de Dames artistes ont ouvert une souscription où toutes à l'envi s'empressent d'entrer; et plusieurs autres associations de femmes, animées des mêmes sentiments, marchent sur leurs traces; serons-nous les dernières à vouloir, à faire le bien ? hâtons-nous de montrer aussi que nous sommes de bonnes Françoises, prêtes à donner nos fortunes, notre vie même s'il le falloit pour notre Patrie : soyons certaines de trouver par-tout le Royaume les mêmes sentiments; et si chaque femme, suivant ses facultés, sacrifie seulement un bijou d'or ou d'argent, fût-il même d'une valeur assez modique, quel secours immense il en résulteroit ! En un moment on augmenteroit le numéraire en France d'une somme énorme; il n'en faudroit pas davantage, peut-être, pour mettre l'Etat au pair, et pour assurer, en rétablissant la confiance, le payement de la dette nationale.

Allons offrir à l'auguste Assemblée des Représentants de la Nation, le tribut volontaire de ces inutiles ornemens; jamais ils ne nous auront rendues aussi belles qu'ils nous rendront respectables au moment où nous nous en priverons ! Eh ! que sont les jouissances de la vanité et du luxe auprès de la satisfaction céleste que nous allons trouver dans une bienfaisance dont tous nos Concitoyens ressentiront les effets ? Méritons aussi une

1. Madame Moitte, femme du Sculpteur de l'Académie.

place dans le souvenir de la postérité; méritons que nos enfans qui nous sont si chers et qui verront des temps plus heureux, disent un jour : nos pères n'ont pas seuls travaillé à nous procurer ce bonheur; nos mères aussi nous ont aimés; elles ont fait aussi des sacrifices; elles se sont immortalisées comme leurs époux; ils avoient servi ou défendu la Patrie par leur sagesse et leur bravoure; mais ce sont elles qui l'ont sauvée par leur générosité.

ARRÊTÉ dans chaque corporation et association de Citoyennes, qu'il sera ouvert une Souscription volontaire, et nommé une dépositaire à laquelle toutes les Dames et Demoiselles, composant ladite association ou corporation, y étant attachées personnellement ou y tenant par leurs pères ou par leurs époux, porteront, à volonté, un ou plusieurs bijoux d'or ou d'argent, de telle et si modique valeur qu'ils soient [1]; qu'il sera envoyé, par l'association ou la corporation, une députation à l'Assemblée Nationale, pour lui faire l'offrande patriotique de ces bijoux qui seront convertis en espèces, pour le produit en être employé à l'acquit de la dette nationale ou aux besoins les plus urgents de l'Etat.

Nota. Plusieurs associations ont proposé, qu'il soit arrêté de demander, à l'Assemblée Nationale, que les contributions destinées à l'acquit de la dette publique, ne soient employées qu'après la constitution faite & sanctionnée.

1. Ou l'argent provenant de la vente de tout autre bijou.

ÉVÉNEMENT DE PARIS ET DE VERSAILLES*

PAR UNE DES DAMES QUI A EU L'HONNEUR D'ÊTRE DE LA DÉPUTATION À L'ASSEMBLÉE GÉNÉRALE

PAR MARIE-LOUISE LENOËL FEMME CHERET

Octobre 1789

Vers huit heures & demie du matin, beaucoup de femmes se présentèrent à l'Hôtel-de-Ville : les unes demandèrent à parler à MM. Bailly & de La Fayette, pour savoir d'eux pourquoi on avait tant de peine à avoir du pain, & si cher; d'autres voulurent, mais absolument, que le Roi & la Reine vinssent à Paris, & demeurassent au Louvre, où ils feraient, disaient-elles, infiniment mieux qu'à Versailles; d'autres enfin exigeaient que ceux qui avaient des cocardes noires les quittassent sur le champ; qu'on renvoyât le Régiment de Flandres & les Gardes-du-Corps, & que Leurs Majestés n'eussent point d'autres Gardes que les Soldats-Nationaux-Parisiens. Pendant cet intervalle, MM. de Gouvion, Major-général, Richard du Pin, Commandant en second des Volontaires de la Bastille, & Lefèvre, Distributeur des poudres, armes & équipemens, coururent le plus grand péril, car la multitude, furieuse de ne point trouver des armes &

* Voir note en fin de texte.

des munitions, voulut les pendre, & ce n'est que par une espèce de miracle qu'ils échappèrent. Vers les midi ou une heure, M. le Marquis de La Fayette, qui paraissait n'augurer rien de bon d'un voyage à Versailles, ayant enfin cru devoir céder aux désirs ardens des Citoyens, Marie-Louise-Lenoël, femme Cheret, demeurant rue de Vaugirard, occupée alors à Passy, d'un marché des plus lucratifs, quitte sa vertueuse mère brusquement, abandonne le bénéfice qu'elle allait faire, se mêle aux Dames Citoyennes qui allaient à Versailles, & vole, avec elles, sous la conduite des sieurs Hulin, Maillard & autres Volontaires de la Bastille ; ces Héros qui ont voulu ajouter à leurs lauriers du 14 Juillet l'honneur de faire encore connaître à l'Assemblée Nationale l'origine du malheur du Peuple, sans lequel les plus grands Monarques ne sont absolument rien. Arrivées au Point-du-Jour, les Citoyennes de notre Capitale firent halte pour se mettre en ordre : les hommes forcèrent, à Sèvres, les Marchands à leur vendre des comestibles, en payant, & se rendirent à Versailles. Pendant la route, deux ou trois Particuliers, un entr'autres, venant de la part du Roi, furent arrêtés, virent déchirer leur cocarde noire, & furent contraints de prendre la queue. Sur le point d'entrer dans le séjour de Leurs Majestés, la Bourgeoisie de Versailles, le Régiment de Flandres & les Dragons (on ne parle point des Officiers), battirent des mains, marquèrent leur satisfaction par des acclamations de joie, les félicitèrent de leur arrivée, & les prièrent de travailler pour le salut général. Pouvait-on faire une telle prière à des Dames nées Françaises, & qui avaient à leur tête les Héros de la Bastille ? Quelques minutes après, vers les quatre heures, nos Citoyennes conduites par les sieurs Hulin & Maillard, prirent le chemin de l'Assemblée Nationale, où elles eurent assez de peine à entrer. Quel spectacle imposant pour elles ! Mais, en même-temps que leur apparition dut déplaire à certains Membres d'un ordre qui n'eût jamais existé, si nos Pères eussent eu la sagesse de réfléchir & de sentir que n'y ayant, lors de l'invasion des Francs dans les Gaules, que deux sortes de Peuples, les vainqueurs, qui furent les Nobles, & les vaincus, qui furent les Roturiers, il est de la plus grande absurdité d'admettre au nombre des Représentans d'une Nation comme la nôtre, des hommes qui ne sont qu'usufruitiers des biens que la crédulité aveugle leur accorde. Quoi qu'il en soit, malgré l'esprit de crainte que nos bonnes amies ont répandu parmi les Calotins, dont plusieurs ont levé le siège, les honorables Membres de l'Assemblée Nationale croyant s'apercevoir qu'elles étaient décidées absolument à ne pas désemparer qu'il n'y eût quelque chose de terminé pour toujours, accordèrent à nos douze Députés, 1° une nouvelle défense d'exporter les grains; 2° la promesse que le blé serait taxé à 24 liv., prix honnête pour que le pain fût à bon compte, & à la portée des Citoyens même les moins aisés; 3° que la viande ne vaudrait que huit sous la livre. Sur ces entrefaites, les Gardes-du-Corps & les Soldats Nationaux se sont amusés, dit-on, à faire le coup de fusil; reste à savoir si les premiers ont brillé; mais un bruit courant, c'est que nous avons perdu peu de monde, & que le Roi a prouvé, le 5 Octobre 1789, qu'il mérite plus que jamais l'épithète qu'on lui a accordée le 17 Juillet dernier, de *Restaurateur de la Nation Française*. Nos Citoyennes, couvertes de gloire, ont été, aux dépens de Sa Majesté, reconduites en voiture à l'Hôtel-de-Ville de Paris, où nous les avons reçues comme les libératrices de la Capitale, dont cet événement doit pour toujours faire avorter les desseins des Aristocrates présens & futurs.

Femme Cheret

CAHIERS DE DOLÉANCES

* A propos du 5 octobre 1789, Michelet a écrit : « Si les hommes ont pris la Bastille, ce sont les femmes qui ont pris la royauté. » En fait, elles avaient également participé à la prise de la Bastille, mais, en octobre 1789, c'est à elles seules que revient l'initiative.

A la suite de mauvaises récoltes et des troubles de l'été 1789, le prix du pain augmente énormément en septembre 1789. La disette s'installe. Sur ce, on apprend à Paris que, lors d'un banquet à Versailles, des officiers ont piétiné la cocarde tricolore et décidé de reprendre celle, noire, de la Reine. Aussitôt, six à sept mille femmes se réunissent au cri de : « Du pain et le Roi. » *(Note des éditrices.)*

DÉLIBÉRATION DES DAMES CITOYENNES DU DISTRICT DE SAINT MARTIN

COLLECTIF — Juillet 1790

Marseille

Cejourd'hui 7 Juillet 1790, & l'an premier de la Liberté, les Dames Citoyennes du District N° 7 se sont assemblées dans la Chapelle des Pénitens Bleus de St. Martin, avec l'agrément de MM. Les Maires & Officiers Municipaux. Mlle. Louise-Françoise Raimbaud ayant été élue Présidente, & Mde. Marie-Jeanne Boude, Secrétaire, l'une & l'autre, par acclamation ; Mde. la Présidente a dit :

Citoyennes,

Animées des sentimens d'admiration, de soumission & d'attachement pour l'heureuse Constitution que donnent aux Français nos sages Législateurs ; enflammées de ce Patriotisme pur qu'a fait naître dans nos cœurs la régénération de l'Empire Français ; fermement persuadées que la prospérité de la Patrie, de nos Epoux, de nos enfans, de nos frères, est attachée au maintien de ces

Décrets immortels, de ces droits sacrés que recouvrent les Français, après plusieurs siècles d'avilissement & de servitude; nous devons nous élever aujourd'hui à la hauteur de ces heureuses destinées, qui sont réservées à l'un & à l'autre sexe. Ce n'est pas assez de former tacitement dans nos cœurs un vœu d'adhésion aux sublimes travaux des augustes Représentants de la Nation Française; nous devons regarder comme le premier & le plus sacré de nos devoirs, de manifester extérieurement nos vertus civiques, & de prononcer solennellement notre serment de fidélité à la Constitution, le 14 de ce mois, époque heureuse de la conquête de la Liberté.

Sur quoi, l'Assemblée des Citoyennes, applaudissant unanimement, a arrêté de participer au spectacle imposant de cette journée mémorable, de marcher ralliées sous l'étendard de la Liberté, vers l'Autel de la Patrie, d'y jurer avec leurs époux-citoyens, leurs enfans & leurs frères, d'être fidèles à la Nation, à la Loi & au Roi; de défendre la Constitution par tous les moyens qui sont en leur pouvoir, & de repousser avec un mâle courage, les ennemis du bien public qui tenteraient encore de nous replonger dans les fers.

Ensuite l'Assemblée ayant mis en délibération le costume que les Citoyennes devaient avoir le jour du serment; il a été délibéré qu'elles seraient vêtues de blanc, avec une ceinture aux trois couleurs de la Nation, une Cocarde nationale sur le bras gauche, coiffe blanche, ruban blanc au tour, tablier blanc, ou point du tout, gants blancs, portant à la main une branche de laurier; qu'elles marcheraient ainsi costumées, sous un drapeau qui serait fait aux trois couleurs, portant cette inscription d'un côté, *la Nation, la Loi & le Roi,* de l'autre, *Fermeté, Union, Fidélité*; qu'après la cérémonie, le drapeau serait déposé dans la Maison Commune, pour servir au besoin, &

comme un monument qui doit passer aux générations futures.

L'Assemblée a délibéré de plus, de suivre l'ordre & la marche qui seront indiqués par MM. les Maire & Officiers Municipaux, de concert avec M. le Commandant de la Garde Nationale ; & enfin, qu'Extrait de la présente Délibération sera envoyé à la Municipalité & à M. le Commandant de la Garde Nationale ; & de suite ont signé, les Dames Citoyennes, Louise Françoise Raimbaud, Présidente ; Marie-Jeanne Boude, Secrétaire.

Mesdames

Martin Escalon, Epouse de M. le Maire ; Marguerite Verdet, Jeanne-Rose Blanc, Marie-Rose Durieu, Veuve Elisabeth Chevignot, Marguerite Fabre, Thérèse Peron, Elisabeth Girard, Magdeleine Causimon, Anne Bonnaud, Jeanne Aubran, Claire Burle, Françoise Mauran, Françoise Roux, Elisabeth Cauviere, Thérèse Revaute, Marie-Anne Deleuze, Elisabeth Gouirand, Marie Vernet, aînée ; Marie-Anne Blanche-Fleur, Rosalie Vernet cadette, Rose Vernet, fille ; Thérèse-Verani Jaubert, Françoise Seguiés, Marie Roman, aînée ; Thérèse Roman, cadette ; Marguerite Vernet, mère ; Marie Cauvine, Marguerite Jannolle, Marie-Jeanne Fouque, Elisabeth Beranger, Marie-Louise Tortin, Marie-Barbe Gay, Elisabeth Baudouin, Marie David, Marie Blanc, cadette ; Thérèse Maillet, Henriette Michel, Rose Matabon, Anne Bègue, mère ; Claire Bègue, belle-fille ; Louise Fabre, Catherine Donjon, Adélaïde Tufreau, Victoire Lambert, Marie Suran, aînée ; Marie Rousset, Elisabeth Balazard, Marie Isoard, Elisabeth Dapus, Joseph-Marie Martin, Marie Reymoné, Marguerite Billaud, Adélaïde Nitard, Françoise Jourdan, Magdeleine Plaffin, Adelaïde Baffi, Marguerite Fabre, Françoise Frison, Marie-Angelier Michel, Marguerite Fournier, Françoise Brard, Justine Berenguier, Françoise Berenguier, Thérèse Espagnol, Elisabeth Fabresse, Catherine Forte, Marianne

Pivau, Rose Devale, Catherine Rey, Marie Pivau, belle-fille ; Thérèse Hélie, Marie Chabaud, Susanne Orgon, Thérèse Vial, Thérèse Odde, Anne Arman, Marie Arnaude, Cécile Clastrier, Anne Martin, Marie Sauvane, Ursule Sauvane, Marie Sevestre, mère ; Magdeleine Sevestre, fille ; Rose Maillet, Marie Monbrion, Félicité Pointié, Anne Anselme, Marie-Anne Messel, Marie-Magdeleine-Louise Daruti, Marie Ricord, Marie Michel, Marie Brun, fille ; Veuve Brun, Marianne Sarrazin, Françoise Sarrazin, Benoîte Héroirt, Anne-Charle Sigaud, Elisabeth Vion, Geneviève Draveton, Louise Goutenoir, Marguerite Vernet, mère ; Catherine Grèce, &c.

L'IMPRIMERIE DES FEMMES

PAR MADAME DE BASTIDE 19 Novembre 1790

Paris

Ecole gratuite de Typographie en faveur des femmes, sous la protection de la municipalité de la ville de Paris, proposée par la dame de Bastide, avec mémoire imprimé et manuscrit, et lettre à l'appui.

Aucun établissement n'offre de ressource aux femmes. Il y a pour les hommes, des écoles gratuites de dessin, divers cours de langues, de sciences, arts et métiers uniquement pour eux seuls; personne n'ignore cependant que les travaux ordinaires des femmes sont insuffisans pour l'existence d'une famille. Nous croyons donc présenter des vues utiles et convenables, en offrant pour elles un plan qui suppléeroit en partie à ce qu'on a négligé de faire jusqu'à présent.

La composition typographique nous semble être plutôt du ressort des femmes que des hommes : ceux-ci ont bien de la peine à rester renfermés plusieurs heures, uniquement occupés d'un travail minutieux; la femme, au contraire, est naturellement sédentaire, adroite, patiente; elle a plus d'élégance et de propreté dans ses travaux, sa conduite réglée et assidue promet une exécution plus prompte et en même temps moins fautive.

La Société, sans doute, se doit à tous ses membres, non pour les faire vivre sans rien faire, mais pour les aider et les protéger, car nul ne peut dire : *Je ne suis pas fait pour travailler,* puisque tous sont nés pour exister. Foulons donc aux pieds des préjugés qui éternisent nos maux; si nous sommes nés dans l'opulence, et que la fortune nous ait ensuite abandonnés, courons après elle par l'industrie; nos frères encourageront un établissement formé par des motifs aussi respectables, et destiné à procurer aux femmes une ressource aussi favorable aux mœurs, qu'avantageuse à l'industrie et à l'Etat.

Pour être admise à l'Ecole de typographie, il est à propos que l'on exige les conditions suivantes :

1° Que les femmes sachent bien lire et écrire, et qu'elles soient de mœurs irréprochables, d'un caractère affable et sûr. Toutes celles qui auront leurs preuves à ces divers égards, pourront se présenter, accompagnées de leurs parents, depuis l'âge de 15 ans jusqu'à celui de 30, à la charge par chacune d'elles, de faire deux élèves.

2° Les femmes dont l'intelligence sera plus perfectionnée par l'éducation, pourront être admises à cette école jusqu'à 40 ans. Elles peuvent encore à cet âge se promettre des succès rapides et tous les égards qui seront dus à leur situation.

3° Il sera fait, d'accord avec elles, un règlement qui accordera des prix d'encouragement pour les plus assidues et prononcera des amendes pour les graves contraventions.

Qu'on ne s'effraie point pour les femmes de la difficulté d'acquérir le talent typographique : si des aveugles-nés exercent cet art avec tant d'habileté, que ne doivent-elles pas espérer ? D'ailleurs, nous avons su alléger tout ce que cet art a de pénible pour le concilier avec la foiblesse du sexe ; les presses, d'un genre particulier [1], seront douces et faciles à mouvoir ; des casses où l'on pourra travailler assises, et les marbres disposés de manière à rendre la correction moins gênante. Quelques-unes apprendront les premiers élémens de la grammaire, et surtout l'orthographe ; enfin, avec de la bonne volonté et un peu d'intelligence, quelques mois leur suffiront pour parvenir au degré de perfection propre à leur assurer l'indépendance ; pourront-elles en douter, quand elles apprendront que des femmes dont l'éducation n'a été préparée par aucun genre de travail mercenaire, ont appris en très peu de temps ce qu'elles offrent aujourd'hui de leur montrer gratuitement, et que cette annonce sort de leurs presses et a été imprimée par elles.

L'imprimerie va certainement devenir un des principaux objets du commerce de la capitale. La classe indigente travaillera à l'imprimerie dans Paris, comme à Genève, elle travaille à l'horlogerie. L'art de l'imprimerie cultivé par l'auteur du poème d'*Abel,* par celui de *Clarisse,* par Franklin, par Nicolaïs et par les pères Faber, ne sera pas longtemps abandonné à des hommes illettrés ; tout doit concourir dans notre établissement à le faire fleurir entre des mains plus habiles, et c'est pour contribuer à cette heureuse révolution que nous nous proposons d'établir dans le local même de nos ateliers un lycée civique en faveur du sexe, lycée où nos élèves puiseront gratuitement les connoissances nécessaires à leur travail.

Une nouvelle constitution prépare et donne de nou-

1. M. Pagnier, maître menuisier, rue du Mont St Hilaire, dont les talens connus sont la caution, nous a déjà fourni un modèle.

velles mœurs; aujourd'hui que le peuple cherche à s'instruire pour s'élever à la dignité de l'homme, ne faut-il pas que les femmes, destinées par la nature à être les premières institutrices des hommes, soient, non seulement instruites de leurs propres devoirs, mais encore de tout ce qui tient aux vraies bases, aux règles et aux agréments de la Société ?

L'ignorant, sot ou orgueilleux, ne se permettra plus sans doute de jeter du ridicule sur les femmes, qui par l'étude et la méditation chercheront à développer le germe de ces vertus, qu'elles trouvent si naturellement au fond de leur cœur.

La modestie est le propre d'un esprit juste et éclairé, il sait mieux combien il lui reste encore de connoissances à acquérir, et il a plus d'estime et de respect pour les hommes distingués par leur savoir, c'est à ces mêmes hommes, observateurs exacts et réfléchis, que nous oserons dire que la femme a en général une infinité d'idées justes, fines et précieuses, qui lui sont réservées par le sentiment, l'esprit même le plus délié et le plus pénétrant ne peut y atteindre, mais, si la sensibilité qui les produit étoit plus éclairée, les femmes travailleroient avec plus de succès à l'éducation de leurs enfants, toute mère de famille deviendroit institutrice et remplasseroit avec avantage ces couvents de religieuses ou maisons d'éducation, qui n'ont souvent d'autre base que le prix de la pension des élèves. Peut-il exister un spectacle de bienfaisance plus touchant, plus pénétrant que celui d'une mère entourée de ses enfants et dont l'âme s'ouvre et s'étend à proportion de leurs besoins ? Les institutrices de cette classe ne se borneroient pas à orner leur esprit, elles s'occuperoient encore plus particulièrement à former leur cœur et leur caractère, d'où dépend véritablement le bonheur de la vie.

Régénérer l'éducation des mères de famille ou des

demoiselles destinées à le devenir, leur indiquer, leur fournir les moyens d'acquérir toutes les connoissances auxquelles elles peuvent atteindre, leur persuader surtout que, le principe moteur du bonheur, c'est le travail et l'instruction, que partout et dans tous les temps, c'est sur l'ignorance que la tyrannie a fondé son empire, tel est le but où nous aspirons en ouvrant un lycée civique et national.

Ce lycée sera sous la direction et présidence d'un homme connu par ses talens, son esprit et ses bonnes mœurs, il dirigera méthodiquement les études propres à servir d'introduction aux arts et aux sciences que les femmes se proposeront de cultiver, il les aidera à choisir suivant leur intelligence, leur goût et les connoissances que chacune d'elles aura déjà acquises.

Nous formerons une bibliothèque, dont elles pourront venir consulter les ouvrages à toute heure du jour.

Des professeurs leur enseigneront les langues, l'histoire, la géographie et la morale.

Des maîtres particuliers leur donneront des leçons de dessin, de peinture, de gravure et de musique ; ces différents arts sont naturellement du ressort des femmes et peuvent même leur convenir comme une ressource utile ; nous offrirons gratuitement tous ces moyens d'instruction à la classe indigente du sexe, qui est la partie la plus intéressante de notre établissement, mais les femmes que la fortune a favorisées donneront trois louis par an pour être admises à tous les cours du lycée civique et national.

Lettre de Mme de Bastide adressant le plan d'une école gratuite de typographie avec celui d'un lycée civique.

Ce 19 novembre 1790

Comme vous voyez, Monsieur, par esprit comme par le cœur, l'idée simple d'une école gratuite de typographie offrira sûrement à votre sagacité toutes les spéculations qui en dérivent naturellement.

Pour imprimer, il faut des caractères, nous aurons donc une fonderie, à laquelle nombre de femmes peuvent être employées pour le frottement des caractères, d'autres à l'imprimerie, à la presse, aux pliages des feuilles, à la brochure, enfin à tout ce qui concerne la librairie.

Comme je désire, Monsieur, que tout concourt à faire fleurir l'art de l'imprimerie dans des mains plus habiles, mon projet est d'établir dans le même local de nos ateliers un lycée civique en faveur de nos élèves.

Faites-moi la grâce, Monsieur, de vous distraire un moment de vos grandes occupations pour jeter un coup d'œil sur des idées encore informes, mais dont l'objet me paroît important. Je recueillerai avec bien de la reconnoissance les avis que vous aurez la bonté de me donner à ces divers égards, et quand vous jugerez à propos, Monsieur, d'en conférer avec moi, un mot de votre part me fera voler au devant de vous.

Quelque temps avant le décret rendu par l'Assemblée nationale en faveur des religieuses, j'avois osé lui adresser la motion que je joins encore ici. Vous jugerez, Monsieur, par cette bagatelle combien j'ai à cœur le bonheur de mon sexe, aujourd'hui je ne me borne pas seulement à indiquer les moyens de le rendre heureux, je lui en offre le principe moteur dans plus d'un genre.

J'ai l'honneur d'être, Monsieur, avec les sentimens les plus distingués, votre très humble et très obéissante servante.

De Bastide

Club Patriotique de Femmes.
Des Femmes bien Patriotes avoient formées un Club dans lequel nétoit admise aucune autres ;
Elles avoient leur Présidente et des sécrataires; on s'assembloit deux fois la semaine, la Présidente
faisoit la Lecture des Séances de la convention nationale, on approuvoit ou lon critiquoit ses Décrets.
Ces Dames animées du zéle de la Bienfaisance faisoient entr'elles une collecte qui étoit distribuée à des
familles de bons Patriotes qui ont besoins de secours.

Club patriotique de femmes
Gravure d'après Lesueur. Lauros-Giraudon

LA SOCIÉTÉ DES AMIES DE LA VÉRITÉ *

PAR ETTA PALM D'AELDERS **   Mars 1791

Adresse de la Société patriotique et de bienfaisance des Amies de la Vérité aux quarante-huit Sections ; rédigée par Etta-Palm, née d'Aelders.

Messieurs,

Persuadées que dans un pays libre, chaque individu doit contribuer de tous ses moyens au service de la patrie, plusieurs citoyennes se sont réunies pour former une institution patriotique et bienfaisante, dont nous sommes chargées de vous présenter le programme.

Depuis trop de siècles l'Europe civilisée a laissé les femmes aux seuls soins intérieurs de leurs familles, ce que la délicatesse de leur tempérament paroît justifier. On diroit même que la nature y applaudit en les douant, dans un degré éminent, de toutes les qualités et vertus sociales. Privées d'une existence civile, soumises aux

* et ** Voir notes en fin de texte.

volontés arbitraires de leurs proches, jusque dans les secrets épanchemens du cœur; esclaves dans tous les temps et à tous les âges : filles, des volontés de leur parens; femmes, des caprices d'un époux, d'un maître; et quand le sort paroît les avoir affranchies de tout despotisme, celui des préjugés serviles dont on a environné leur sexe, les tient encore courbées sous ses lois; ainsi, depuis le berceau jusqu'au tombeau, les femmes végètent dans une espèce d'esclavage.

Aussi, étouffoit-on, dès leur enfance, ces imaginations vives, ardentes et sensibles, qui élèvent l'âme et enfantent le génie, par une éducation pusillanime et énervée dans les repaires d'ignorance et de fanatisme. Dans le nouvel ordre de choses, où l'homme est rendu à la dignité de son être, le cercle du bonheur doit s'agrandir pour elles, car, c'est une vérité reconnue : les femmes ont une influence directe sur les peuples; et pour former des hommes libres, il faut connoître la liberté.

Chez les Celtes et parmi les Scythes, où les femmes reçurent la même éducation que les hommes, elles étoient simples, intrépides et valeureuses; par elles seules, Marius triompha des Cimbres; et sans elles, sans cette classe de femmes, qui n'ont d'autres sentimens que ceux que donne la nature, d'autre éducation que l'expérience de l'infortune, mais dont l'âme n'a pas été affadie par les préjugés; sans elles, dis-je, les François seroient encore dans les fers. Oui, ces femmes courageuses sont encore l'appui de la constitution, l'effroi des ennemis de la liberté et la terreur du fanatisme.

Il est donc juste que les femmes favorisées par la fortune, par une situation plus heureuse, payent aussi leur tribut à la régénération de la France; c'est à elles à faire revivre les mœurs du premier âge; c'est à elles à faire chérir et bénir cette révolution, à laquelle leur sexe a eu tant de part.

C'est donc à des citoyennes vertueuses à rappeler, par leur exemple, à l'aimable modestie, à la sainte fraternité, au secours de leurs sœurs qui sont dans l'indigence; celles qui, encore plongées dans un luxe effréné, passent leurs jours dans une lâche mollesse, et dans une fatigante nullité; car, où le vice marche la tête haute, où l'égoïsme foule les hommes aux pieds, l'empire de la liberté est bien chancelant; mais tant de chimères les environnent, tant de monstres combattent ces âmes foibles, qu'il faudroit des efforts magnanimes pour arracher ces victimes du sein de cette séduisante frivolité qui faisoit le caractère distinctif des dames françoises; caractère nécessaire, peut-être, pour adoucir la captivité dans laquelle elles gémissoient sous des despotes esclaves; mais pour être les compagnes des François régénérés, des hommes libres, il faut du patriotisme, de la modestie et des vertus.

Hé, Messieurs, accordez votre amour, vos suffrages, votre main aux plus méritantes, vous verrez bientôt des modèles des vertus morales et civiques.

Les amies du cercle patriotique de la bienfaisance, amies de la vérité qui nous envoient vers vous, Messieurs, ont principalement en vue de propager ces vérités utiles, et de s'occuper des soins fraternels. La bienfaisance ne consiste pas uniquement dans les secours pécuniaires : les ressources de l'amitié sont inépuisables; des conseils fraternels, des démarches utiles, de tendres consolations, l'appui contre un ennemi puissant, sont autant de canaux d'où découle le bonheur public et privé; et quoique la bienfaisance du cercle patriotique doive principalement se diriger vers ces êtres intéressans, qui sont redevables de leur première existence aux soins de la société maternelle, ces petites filles abandonnées, dès l'âge le plus nelle, ces petites filles abandonnées, dès l'âge le plus tendre, à une misère inévitable, et dont le secours ne doit pas se borner aux besoins physiques et momentanés, mais s'étendre sur l'éducation nécessaire pour leur faire trouver des ressources contre l'indigence dans des travaux honnêtes.

La société patriotique offre également ses soins à seconder l'éducation publique et l'administration des nourrices ; elle ne croit pas pouvoir travailler plus efficacement au progrès de cette utile institution, qu'en faisant part de son plan à toutes les sections de la capitale, et en leur proposant de nommer deux citoyennes, commissaires de chaque section, pour se joindre à elles. Par ce moyen, la société pourroit plus facilement connoître et encourager les vertus, et porter des secours à l'honnête indigente par toute la capitale indistinctement. Et cette association seroit, en même-temps, un nœud d'alliance et de fraternité entre les citoyennes de toutes les sections.

---

* Il s'agit du texte fondateur du premier club composé exclusivement de femmes. Etta Palm d'Aelders le présente devant la Société des Amies de la Vérité, fédération de clubs de toute la France. Les femmes, déçues par les débuts de la Révolution, décident de prendre en charge elles-mêmes leurs revendications. *(Note des édictrices.)*

** Etta Palm d'Aelders : Etta Lubina Johanna Aelders est née à Groningue, en Hollande, en 1743. Mariée à dix-neuf ans à Ferdinand Palm qui l'abandonne peu après, elle voyage et se fixe à Paris en 1768. Connue dès 1790, elle fonde en 1791 La Société des Amies de la Vérité. Elle quitte la France en janvier 1793 pour la Hollande, où elle est arrêtée en 1795 comme orangiste, lorsque ce pays devient la République batave. *(Note des éditrices.)*

III

L'AFFIRMATION POLITIQUE :

« Et nous aussi, nous sommes des citoyennes. »

Femmes participant aux travaux du champ de Mars
en vue de la fête de la fédération (juillet 1790). *Roger Viollet*

MOTIONS ADRESSÉES À L'ASSEMBLÉE NATIONALE EN FAVEUR DU SEXE

PAR MADAME BASTILLE,
CITOYENNE DESMOULINS. 1789

Le bonheur des hommes est-il dépendant de celui des femmes ?
Quels sont pour elles les moyens de l'établir ?
Les Couvents de Religieuses doivent-ils être supprimés ?

Le premier, le plus sacré des devoirs de l'homme, c'est de faire le bonheur d'une compagne que la nature lui a destinée pour compléter le sien.

Il existe sans doute de ces êtres vertueux et sensibles qui trouvent des charmes à remplir ce devoir, comme à mériter la douce récompense qu'il leur promet ; cependant c'est une triste mais exacte vérité, que dans toute l'espèce humaine, la plus grande somme des maux est imposée à la femme.

Que d'hommes insensibles aux loix morales de la nature ; barbares envers un sexe qu'ils ne considèrent plus que comme un objet frivole, pris au hasard, uniquement placé sur la terre pour satisfaire à un instant d'ivresse ! La femme ainsi humiliée, se dégrade ; ses qualités morales n'ont plus d'énergie ; les sources inépuisables de sa sensibilité restent sans effet sur le cœur de l'homme ; elle gémit en feignant d'être heureuse, eh ! ces hommes croyent avoir joui !

De toutes les passions qui servent à rendre l'homme heureux, quand il sait les gouverner, l'ambition seule règne aujourd'hui sur son cœur ; il n'aime plus que l'or, ne vit que pour l'acquérir, et porte la dépravation jusqu'à l'épouser ; voilà la source des malheurs d'un sexe dont je m'honore de faire partie.

Occupés, Messieurs, à former une constitution sage, des loix plus précises, et à établir le pouvoir dans ses justes limites ; tous les bons Citoyens sont pénétrés de reconnoissance des travaux auxquels vous vous livrez sans relâche ; du courage qui vous fait surmonter tous les obstacles.

Vous parviendrez sûrement, Messieurs, au but que vous voulez atteindre. Vouloir et vouloir constamment, c'est le premier des moyens quand il est guidé par des lumières sûres. Encore un pas, Messieurs, et vous détruirez un autre despotisme, qui comme celui des Vizirs, doit être relégué dans les Etats Asiatiques.

La Providence, en créant la femme, n'a donné à l'homme qu'une compagne pour coopérer avec lui, adoucir ses peines, et lui préparer des plaisirs ; cette idée de compagne et de coopérateur commun, renferme celle d'une égalité parfaite, et me paroîtroit tout à fait exclusive de l'idée d'autorité. Cependant il ne s'agit point, Messieurs, de vous priver de cette supériorité que vous tenez des loix et non de la nature, mais d'en appeler à votre générosité que vous avez prouvé être une vertu si facile.

Depuis le sceptre jusqu'à la houlette, pourquoi les femmes nées pour répandre des fleurs sur la vie privée de l'homme, ne reçoivent-elles de lui en récompense, que des fers, des tourments, et des injustices ? La plus grande qu'il puisse commettre à leur égard, c'est de se plaindre d'elles ; s'il *veut* quelquefois impérieusement les soumettre, ou les faire *vouloir,* par cet ascendant incontestable, les femmes seront donc toujours ce qu'il voudra qu'elles soient ; alors n'est-il pas prouvé que ses vertus sont à elles, et que ses torts, le plus souvent, sont les siens ?

Vouloir, Messieurs, être heureux par la liberté, c'est le propre des grandes âmes ; mais considérez que votre bonheur est absolument dépendant de celui des femmes ; le seul moyen peut-être de le rendre mutuellement inaltérable, ce seroit de former un décret qui obligeât les hommes à épouser les femmes sans dot [1] ; l'homme qui aura choisi sa compagne suivant le vœu de son cœur, ne sera pas trompé par la nature s'il l'a bien consultée, et si aucun intérêt étranger n'a surpris ses dispositions.

Nous reconnoissons, Messieurs, tous vos droits ; mais vous les perdez quand vous les soumettez à des calculs ; si par un généreux sacrifice vous adoptez ce principe, si vous en faites une loi, nous vous apporterons en échange des vertus, un cœur reconnoissant, cette confiance, ce respect dus à l'homme de bien qui sait rendre sa famille heureuse.

Vous vous honorerez, Messieurs, en consacrant à jamais le bonheur de ces Citoyennes, de ces mères de famille en qui vous reconnoissez tant de titres qui doivent vous les rendre chères ; chacun de vous, Messieurs, a eu une mère, et a peut-être le bonheur de la posséder encore ; la plupart ont une épouse ; descendez au fond de vos cœurs, vous y trouverez cet amour, cette reconnois-

1. Je me hâte de prévenir que je suis épouse & mère, & que mes enfants sont des garçons.

sance qu'elles ont acquis aux prix des dangers et des sollicitudes, pour vous élever à la dignité de l'homme.

Ah ! dès-à-présent, Messieurs, prenez en considération le sort déplorable d'un grand nombre de ces mères de famille, dont les maris ont dissipé cette fatale dot, et à qui ils n'ont laissé que des dettes et des enfants ; envisagerez-vous comme une plante parasite ces infortunées ? La société ne leur doit-elle rien ? Les laisserez-vous dans l'abaissement et l'humiliation que l'indigence traîne à sa suite ? Si quelques-unes d'entr'elles trouvent quelque ressource par le travail le plus assidu, il en est une infinité d'autres à qui l'éducation, le préjugé ou la nature refusent tous les moyens de pourvoir par elles-mêmes à l'existence de leur famille ; souvent encore il en est à qui l'âge ne permet plus ce que le courage leur inspire ; enfin il en existe de dévouées au malheur, dont l'intelligence et l'esprit pourroient les mettre en état de ne dépendre que d'elles-mêmes, s'il y avoit quelques ressources suffisantes pour les femmes ; conservant dans l'adversité ce beau caractère qui anoblit toutes les actions, elles souffrent habituellement sans se plaindre, elles se font une jouissance de leur privation, et ne donnent point à l'orgueilleuse et insensible opulence, le droit de les humilier.

Cette classe de femmes, est très-capable, Messieurs, d'exercer une infinité de places lucratives occupées jusqu'à présent par des hommes ; ne seroit-il pas juste d'abolir cet usage, et de réserver pour les femmes toutes espèces de bureaux de distribution, et tous emplois quelconques, qui seroient à leur portée ?

Ce n'est ici, Messieurs, qu'un aperçu que je vous soumets, bien persuadée que le soin de notre bonheur vous occupera sérieusement, et deviendra pour vous la plus douce des jouissances.

Le sentiment des maux de tout mon sexe me pénètre jusqu'au fond du cœur ; eh ! sans doute, Messieurs, vous n'envisagerez point non plus avec indifférence, tant de malheureuses filles, qui n'ont pas eu la faculté d'acheter un époux, délaissées, repoussées de toute la nature, quand elles ont perdu leurs parens ; elles végètent dans l'indigence et les larmes, en murmurant contre l'injustice du sort : si elles peuvent prétendre à être placées un jour suivant leurs talens, elles sauront en acquérir ; leur caractère, leur âme prendront un nouvel essor ; les mœurs y gagneront, les célibataires ne tarderont pas à se marier ! Que de bien, Messieurs, vous pourrez produire ! Que d'heureux vous pouvez faire !

Enfin, il est encore une troisième classe de femmes, plus misérables, plus affligées que je ne puis l'exprimer : la nature se révolte, quand je me rappelle ces cloîtres, où je fus moi-même renfermée jusqu'à l'âge de vingt-cinq ans ; dépositaire des peines secrètes de plusieurs d'entre elles ; que de regrets superflus ! que de larmes amères j'ai recueillies dans mon sein ! Toujours aux prises avec la nature, elles la combattent sans cesse, et ne peuvent l'anéantir.

C'est dans ces sombres asyles, qu'à petit bruit toutes les passions enchaînées se heurtent habituellement : ces innocentes victimes, différentes de caractère, comme de physionomie, sont forcées de vivre ensemble, sans aucun rapport de convenance ; journellement elles doivent se prêter à ce qui ne leur convient pas, sacrifier leur goût, leur volonté, leur penchant à une seule d'entre elles, qui exerce le plus souvent l'empire le plus tyrannique : peut-on jamais se familiariser avec l'idée pénible de ne jamais sortir d'un tel espace ? Si elles étendent leurs pas, l'aspect de ces murs impénétrables les repousse douloureusement ; se permettent-elles d'entretenir quelques personnes du dehors, des grilles armées de pointes de fer, et souvent un témoin secret de leur entretien, détruisent tout le charme de la confiance, et les forcent à maudir l'instant qui les invitoit au sourire.

Ce n'est encore jusqu'ici qu'une partie de leurs maux. L'austérité de leur institution dans nombre de Communautés, les rendent souvent homicides d'elles-mêmes.

La religion, comme l'amour, demande des cœurs libres, et s'il lui faut des sacrifices, on peut également dans le monde exercer toutes les actes de renonciation à soi-même.

Il y a plusieurs de ces douces créatures, qui, pendant quelques années d'une jeunesse effervescente, se livrent avec une bonne foi angélique, à tous les excès de la ferveur; mais l'imagination une fois refroidie, le présent et l'avenir ne leur offrent plus qu'un tombeau où chaque jour elles font un pas pour y descendre.

Il en est d'autres qui, pour satisfaire à la cruelle cupidité de leurs parens, embrassent ce genre de vie, sans y être appelées.

Enfin j'en ai connu, qui née avec une âme de feu, le cœur déchiré par les tourmens d'une passion malheureuse, s'étoit précipitée dans un Cloître, avec la honte de son choix. Le temps qui soumet toutes les idées, qui ramène nos sentimens à la saine raison, laisse tomber le voile du prestige, et la malheureuse gémit le reste de ses jours.

S'il existe, comme je le crois, quelques Religieuses entièrement dévouées et contentes de leur état, laissons-les jouir en paix d'un bonheur si difficile à obtenir; qu'elles restent recluses et libres; la faculté de rompre leurs chaînes sera un mérite de plus si elles les conservent : mais que celles qui ne les traînent qu'en gémissant, puissent les jeter loin d'elles, et venir vous remercier de les avoir brisées. C'est au nom de tout mon sexe (qui sûrement ne me désavouera pas) que j'en appelle, Messieurs, au tribunal de la raison.

Si l'homme se dégrade, s'il ne peut acquérir ces qualités rares et fortes dans l'esclavage ; si nous naissons tous libres ; si vous vous proposez de rompre tous les liens de la servitude, vous ne pourrez délaisser ces expirantes captives, également nées pour la liberté.

Vos lumières, Messieurs, vous fourniront plus d'un moyen pour parvenir, sans compromettre l'intérêt des familles, à venger tant d'outrages faits à l'humanité.

Cette feuille du prix de 6 sols, se trouve chez l'auteur rue des Poitevins, N° 20.

DISCOURS SUR L'INJUSTICE DES LOIX

PAR ETTA PALM D'AELDERS 30 Décembre 1790

Paris

Sur l'injustice des Loix en faveur des Hommes, aux dépens des Femmes, lu à l'Assemblée Fédérative des Amis de la Vérité, le 30 décembre 1790.

Messieurs,

Puisque vous me permettez de prendre la défense de mon sexe, je commence par solliciter son indulgence, si mes lumières et mes moyens ne répondent pas à la tâche que j'ai entreprise, et à ce qu'il pourroit attendre de la justice de sa cause ; et pour vous, Messieurs, je vous prie de considérer que je suis femme, née et élevée dans un pays étranger. Si la construction de mes phrases n'est pas selon les règles de l'Académie Françoise, c'est que j'ai plus consulté mon cœur que le Dictionnaire de l'Académie.

Messieurs,

Vous avez admis mon sexe à cette association patriotique des Amis de la Vérité; c'est un premier pas vers la justice; les augustes représentans de cette heureuse nation viennent d'applaudir à l'intrépide courage des Amazones, dans l'un de vos départemens, et leur permettent de lever un corps pour la défense de la patrie. C'est un premier choc aux préjugés dont on a enveloppé notre existence; c'est un coup violent porté à celui de tous les despotismes le plus difficile à déraciner.

Ne soyez donc pas justes à moitié, Messieurs : vous avez voulu, et bientôt les murs de ces orgueilleuses forteresses, qui faisoient l'humiliation et l'opprobre des François, se sont écroulés avec fracas : détruisez de même ces remparts des préjugés, plus dangereux peut-être, parce qu'ils sont plus nuisibles au bonheur général. La justice doit être la première vertu des hommes libres, et la justice demande que les loix soient communes à tous les êtres, comme l'air et le soleil; et cependant partout, les loix sont en faveur des hommes, aux dépens des femmes, parce que partout le pouvoir est en vos mains. Quoi! des hommes libres, un peuple éclairé consacreroient-ils, dans un siècle de lumière et de philosophie, ce qui a été l'abus de la force dans un siècle d'ignorance?

Soyez justes envers nous, Messieurs, vous que la nature créa bien supérieurs en forces physiques; vous avez gardé pour vous toute la facilité du vice, tandis que nous, qui avons une existence si fragile, dont la somme des maux est énorme, vous nous avez donné toute la difficulté de la vertu en partage; et cette formation délicate de la nature, a gravé plus profondément votre injustice, puisqu'au lieu d'y suppléer par l'éducation et par des loix en notre faveur, il semble que l'on nous forme uniquement pour vos plaisirs, tandis qu'il seroit si doux, si facile, de nous associer à votre gloire!

Les préjugés dont on a environné notre sexe, appuyés sur des loix injustes, qui ne nous accordent qu'une existence secondaire dans la société, et nous forcent souvent à l'humiliante nécessité de vaincre l'acariâtre ou féroce caractère d'un homme, qui, par la cupidité de nos proches, étant devenu notre maître, a fait changer pour nous le plus doux, le plus saint des devoirs, celui d'épouse et de mère, dans un pénible et affreux esclavage. Oui, Messieurs, rien de plus humiliant que d'exiger comme un droit, ce qu'il seroit glorieux d'obtenir par son choix ; de surprendre, par adresse, ce qu'il est si doux de ne devoir qu'au sentiment ; d'acquérir votre cœur, votre main, l'association d'un compagnon de la vie, d'un autre nous-même, par ce qui n'est pas nous, par une soumission aveugle aux volontés de nos parens, et faire une étude particulière de la coquetterie, pour adoucir notre captivité : car, il faut le dire, MM. ce sont le plus souvent des minauderies, des petits riens, l'attirail de la toilette, j'ai presque dit, des vices mêmes, qui nous obtiennent vos suffrages et la préférence sur une âme élevée, un vaste génie, un cœur vraiment sensible, mais délicat et vertueux.

Hé ! quoi de plus injuste ! notre vie, notre liberté, notre fortune, n'est point à nous ; sortant de l'enfance, livrée à un despote, que souvent le cœur repousse, les plus beaux jours de notre vie s'écoulent dans les gémissements et les larmes, tandis que notre fortune devient la proie de la fraude et de la débauche. Hé ! ne voit-on pas journellement des citoyens honnêtes, des pères de famille, entraînés dans les cloaques infects dont la capitale abonde, ivres de vin et de débauche, oublier qu'ils sont époux et pères, et sacrifier en holocaustes, sur l'autel de l'infamie, les larmes d'une épouse vertueuse, la fortune et l'existence de ceux qui leur doivent le jour !

Ah ! Messieurs, si vous voulez que nous soyons zélées pour l'heureuse constitution qui rend aux hommes leurs droits, commencez donc par être justes envers nous ; que dorénavant nous soyons vos compagnes volontaires et non vos esclaves. Qu'il nous soit possible de mériter votre attachement ! Croyez-vous que le désir des succès nous est moins propre, que la renommée nous est moins chère qu'à vous ? Et si le dévouement à l'étude, si le zèle du patriotisme, si la vertu même, qui s'appuye si souvent sur l'amour de la gloire, nous sont naturels comme à vous, pourquoi ne nous donneroit-on pas la même éducation et les mêmes moyens pour les acquérir ?

Je ne vous parlerai pas, Messieurs, de ces hommes iniques qui prétendent que rien ne peut nous dispenser d'une subordination éternelle[1] ; n'est-ce pas une même absurdité que si l'ont avoit dit aux François le 15 juillet 1789 : Laissez-là vos justes réclamations ; vous êtes nés pour l'esclavage ; rien ne peut vous dispenser d'obéir éternellement à une volonté arbitraire.

Vous avez pris les armes, Messieurs, et aussitôt l'hydre de la tyrannie épouvantée s'est retirée au fond de sa caverne, où elle n'attend plus qu'un dernier coup pour expirer. Nous ne croyons pas avoir besoin auprès de vous, Messieurs, pour rompre les chaînes ignominieuses qui nous accablent, que des armes que la nature nous a données, les talens, le mérite, la vertu, et cette foiblesse même qui fait notre force, et qui nous fait si souvent triompher de nos superbes maîtres.

Oui, Messieurs, la nature nous a créées pour être les

1. Voyez le Tableau de Paris.

compagnes de vos travaux et de votre gloire. Si elle vous donna un bras plus nerveux, elle nous fit vos égales en forces morales, et vos supérieures peut-être par la vivacité de l'imagination, par la délicatesse des sentimens, par la résignation dans les revers, par la fermeté dans les douleurs, la patience dans les souffrances, enfin en générosité d'âme et zèle patriotique ; et si ces qualités naturelles étoient fortifiées par une éducation soignée, par l'encouragement de vos suffrages, par des récompenses publiques, je ne crains pas de le dire, notre sexe surpasseroit souvent le vôtre ; car l'éducation et la philosophie n'avoient-elles pas élevé l'âme de l'illustre fille de Caton au-dessus des hommes de son siècle ? Et sans les vertus civiques de la mère de Coriolan, Rome n'eût-elle pas été saccagée par les Volsques ? L'intrépide courage des femmes ne surpassoit-il pas celui des hommes à la bataille de Salamine ? Quel homme a montré plus de constance dans les revers que la mère des Gracques, cette illustre Cornélie, la merveille de Rome ? Et n'est-ce pas la femme de Pétus qui osa plonger le poignard dans son sein innocent, pour lui inspirer le courage de prévenir une mort honteuse ? Et combien de femmes n'a-t-on pas vues vaincre cette puérile éducation, plus faite pour les esclaves d'un sérail, que pour des compagnes d'hommes libres ? Le long règne d'Elisabeth n'a-t-il pas été un prodige d'activité politique ? La pucelle d'Orléans n'a-t-elle pas été un prodige de courage ? Et cette Catherine seconde, malgré toute sa perversité, n'est-elle pas encore l'étonnement de l'Europe ?

Mais pourquoi chercher si loin, lorsque nous avons des exemples au milieu de nous ? Les citoyennes françoises, vos épouses, vos sœurs et vos mères, Messieurs, n'ont-elles pas donné à l'univers un exemple sublime de patriotisme, de courage et de vertus civiques ? Ne se sont-elles pas empressées de sacrifier leurs bijoux pour le besoin de la patrie ? Et cette ardeur héroïque avec laquelle leurs mains délicates ont partagé vos travaux pénibles au champ de la confédération, vous ont-elles cédé en efforts pour former l'autel de la patrie, qui a reçu le serment qui consolide cette liberté, cette égalité, ce bonheur de n'être plus qu'un peuple de frères.

Oui, Messieurs, ce sont elles qui animent tous les jours votre courage pour persévérer et combattre sans relâche les ennemis de votre liberté. Ce sont elles qui empreignent dans l'âme de vos chers enfans ces mots recueillis sur les lèvres mourantes des victimes de la Patrie : Vivre libre ou mourir.

Que notre sainte révolution, qu'on doit au progrès de la philosophie, opère une seconde révolution dans nos mœurs ; que l'appareil de la sévérité si déplacé envers nous, et que la vraie philosophie condamne, fasse place à la loi douce, juste et naturelle ; que votre amour, votre amitié, vos suffrages soient dorénavant la récompense des citoyennes vertueuses ; que des couronnes civiques, remplacent sur ces têtes intéressantes, des misérables pompons, symboles de la frivolité, et les signes honteux de notre servitude.

ADRESSE DES CITOYENNES FRANÇOISES A L'ASSEMBLÉE NATIONALE

PAR ETTA PALM D'AELDERS 12 Juin 1791

Messieurs,

Les fers des François sont tombés avec fracas, l'éclat de leur chute à fait pâlir les despotes et ébranlé leurs trônes ; l'Europe étonnée a fixé un œil attentif sur l'étoile qui éclaire la France et sur l'auguste sénat qui représente un peuple qui, à la volonté d'être libre, joint l'amour d'être juste.

Oui, messieurs, vous avez brisé le sceptre d'airain pour mettre à sa place l'olivier, vous avez juré de protéger le foible, il est de votre devoir, il est de votre honneur, il est de votre intérêt de détruire jusque dans leurs sources ces loix gothiques qui abandonnent la plus foible, mais la plus intéressante moitié de l'humanité à une existence humiliante, à un éternel esclavage.

Vous avez rendu l'homme à la dignité de son être en reconnoissant ses droits, vous ne laisserez plus gémir les femmes sous une autorité arbitraire, ce seroit renverser les principes fondamentaux sur lesquels repose l'édifice majestueux que vous élevez par vos infatigables travaux pour le bonheur des François : il n'est plus tems de tergiverser : la philosophie a tiré la vérité des ténèbres :

l'heure sonne : la justice, sœur de la liberté, appelle à l'égalité des droits tous les individus, sans différence de sexe, les loix d'un peuple libre doivent être égales à tous les êtres, comme l'air et le soleil. Trop long-temps, hélas ! les droits imprescriptibles de la nature ont été méconnus ; trop long-temps des lois bizarres, digne produit des siècles d'ignorance, ont affligé l'humanité ; trop long-temps enfin la tyrannie la plus odieuse étoit consacrée par des lois absurdes.

Mais, messieurs, l'article XIII, du code de police, qui vous a été présenté par le comité de constitution, surpasse tout ce qui a été fait de plus injuste dans les siècles barbares : c'est un raffinement du despotisme pour rendre la constitution odieuse au sexe, et par la dégradation de notre existence, en flattant votre amour-propre, vous endormir dans les bras d'une esclave, et ainsi émousser votre énergie, pour mieux river vos chaînes.

Augustes législateurs, chargeriez-vous de fers les mains qui vous ont aidés avec tant d'ardeur à élever l'autel de la patrie ? Rendrez-vous esclaves celles qui ont contribué avec zèle à vous rendre libres ? Imprimerez-vous une flétrissure sur le front d'une Clélie, d'une Véturie, d'une Cornélie ? Non, non, l'autorité conjugale ne doit être que la suite du pacte social. Il est de la sagesse de la législation ; il est de l'intérêt général d'établir une balance entre le despotisme et la licence ; mais les pouvoirs de l'époux et de l'épouse doivent être égaux et individuels. Les lois ne peuvent établir aucune différence entre ces deux autorités ; elles doivent protection égale, et entretenir un équilibre perpétuel entre les deux époux. Ne seroit-il pas injuste de consacrer à l'époux toute la facilité du vice, tandis que l'épouse, dont l'existence fragile, soumise à des maux sans nombre, auroit toute la difficulté de la vertu pour partage.

Pères de la patrie, ne souillez-pas votre immortel ouvrage par une tache aussi discordante : il vous faut un code moral, sans doute, mais les mœurs sont l'ouvrage du temps et de l'éducation ; elles ne se commandent pas ; la licence est une suite naturelle du régime oppresseur de l'indissolubilité du mariage et de l'éducation fade et énervée des cloîtres, repaires d'ignorance et de fanatisme que vous avez détruits dans votre sagesse ; vous achèverez votre ouvrage en accordant aux filles une éducation morale, égale à celle de leurs frères ; car l'éducation est à l'âme, ce que la rosée est aux plantes ; elle la féconde, fait éclore, fortifie, et porte le germe générateur des vertus et des talens à parfaite maturité.

Représentans de la nation, au nom de votre honneur, au nom de la sainte liberté, repoussez le code injuste et impolitique ; il seroit la pomme de discorde dans les familles, le tombeau de la liberté : la contrainte flétrit l'âme ; l'esclave ne songe qu'à rompre ses fers, à se venger de la servitude : sans doute le comité, pour vous présenter cet article odieux, avoit consulté les théologiens et non les philosophes. Hé ! ne consultez que votre cœur, il vous instruira mieux que les maximes des jurisconsultes des siècles passés ; ces hommes blanchis dans le despotisme, qui prennent l'avidité de leur âme pour un effet de la vertu. La nature nous forma pour être vos égales, vos compagnes et vos amies : nous sommes les soutiens de votre enfance, la félicité de l'âge mûr, et la consolation de votre vieillesse ; titres sacrés à votre reconnoissance.

POUR LES DROITS DES ENFANS NATURELS

PAR MADAME GRANDVAL — Fin 1791 ?

Paris

Pétition à l'Assemblée Nationale, pour lui demander une loi qui accorde aux enfans naturels le droit d'hériter de leurs pères & mères libres.

Législateurs,

Vos prédécesseurs ont fourni la plus honorable carrière ; vous les y suivez avec le même patriotisme & le même courage : votre gloire égalera la leur, & vous obtiendrez de vos compatriotes la même reconnoissance qu'ils ont su mériter. Ils ont renversé le colosse du despotisme, anéanti des abus innombrables ; ils ont même, ce que l'on croyoit impossible, détruit d'antiques préjugés que l'on avoit regardés, jusqu'à nos jours, comme inhérens au caractère national & à la constitution monarchique ; mais l'importance des objets dont ils ont eu à s'occuper, ne leur a permis d'envisager qu'un vaste ensemble dans l'organisation du gouvernement ; ils n'ont pu descendre dans tous les détails ; ils se sont reposés sur votre sagesse du soin d'achever l'édifice de nos lois, & de perfectionner ce que les circonstances ne leur ont permis que d'ébaucher.

Permettez qu'une femme, qu'une mère appelle votre attention sur une classe d'infortunés qui ont été jusqu'ici les victimes déplorables de l'orgueil & de l'avarice des familles auxquelles ils n'appartiennent que par les droits sacrés de la nature, & dont le sort est si différent, suivant les coutumes sous l'empire desquelles ils naissent, & le caprice de ceux qui ont rédigé les codes barbares.

La nouvelle constitution a déjà rendu citoyens les enfans naturels, par cela seul qu'elle ne les a pas privés du droit de cité ; elle les a rendus susceptibles d'être élevés à toutes les places & à toutes les dignités, par cela seul qu'elle ne les en a pas déclarés incapables. Elle leur doit encore un bienfait, ou plutôt, pour être parfaitement juste envers eux, elle leur doit, sinon la possibilité d'hériter avec leurs frères & sœurs nés en légitime mariage, au moins la faculté d'hériter de leurs mères libres, ou celle d'en recevoir des legs universels.

Suivant le droit naturel, qui doit être la base & la racine de toutes les lois, la condition des bâtards & des enfans légitimes ne doit-elle pas être la même ? Ne sont-ils pas formés des mêmes élémens ? Pourquoi donc le droit civil a-t-il mis entre eux une si grande différence ?

Chez les Romains, on accordoit aux enfans naturels la sixième partie de la succession de leurs pères & mères, & même la totalité, lorsqu'ils n'avoient pas d'enfans légitimes.

L'histoire nous apprend que, dans les commencemens de notre monarchie, aucun intervalle ne séparoit les bâtards & les enfans légitimes; ils partageoient l'hérédité de leurs pères & mères. Hugues Capet est le premier souverain qui ait établi cette maxime cruelle, que les enfans naturels, n'avoient ni patrie ni famille.

C'étoit le temps de la tyrannie féodale : les seigneurs de fief durent accueillir avec transport un principe aussi favorable à leurs usurpations & à leur avarice. Ils en inférèrent que les bâtards étoient, en quelque sorte, des épaves dont ils pouvoient s'emparer, & prendre la dépouille.

Il y avoit plusieurs provinces du royaume où les bâtards étoient traités comme serfs, & où ils ne pouvoient ni tester, ni se marier sans la permission de leur seigneur. « Et ne peut, portoit l'ancienne coutume de Laon, art. 6, un espave, ni bâtard tester, ne faire testament, & par icelui ne disposer de ses biens, fors que de cinq sols ».

Le Seigneur succédoit à tout bâtard décédé dans l'étendue de sa châtellenie, sans hoir & sans lignage. C'est ce qui résulte du chap. 97 des établissemens de Saint-Louis.

Dans cette foule de coutumes qui se sont partagé la domination de l'empire, & qui se contrarient les unes les autres, il en est un petit nombre dont les auteurs ont été animés d'un esprit de justice pour les bâtards.

Telles sont les coutumes de Saint-Omer, article 47 ; de Valenciennes, article 121 ; de Lalleue, article 20; & de Theroane, article 4; cette dernière est même remarquable par ses expressions : « Par coutume de ladite régale, nul n'est bâtard de par sa mère ; néanmoins icelui bâtard ou bâtarde, ne succède en rien en la succession de ses oncles & tantes, & n'a autre avancement d'hoirie, fors tant seulement, ce dont ladite mère est saisie jouissant & possédant à l'heure de son trépas. »

Dans tout le Dauphiné, les enfans naturels succèdent à leur mère, & l'on n'a jamais souffert que les lois qui assurent leurs droits, reçussent la moindre atteinte. En 1665, Charles VIII ayant voulu introduire dans cette province les droits de bâtardise, le syndic des trois états s'opposa à l'enregistrement de l'édit, comme contraire au droit municipal de la province, & l'édit ne fut point enregistré. La jurisprudence du parlement de Grenoble, qui admet les bâtards nés de deux personnes libres, à leur succéder, est attestée par une foule d'auteurs.

Si nous consultons les coutumes, & une foule d'usages étrangers, nous en trouvons qui ne leur sont pas moins favorables.

A Anvers, & dans quelques autres villes du Brabant, les bâtards héritent avec les enfans légitimes, & comme eux.

En Portugal, les enfans naturels, même mulâtres, succèdent à défaut d'enfans légitimes.

En Espagne, ils sont également admis au partage de l'hérédité. Ce royaume a même eu un de ses souverains qui étoit bâtard. C'est Henri de Transtamare, dont la descendance, fondue dans la maison d'Autriche, a porté le sceptre jusqu'à Philippe V.

La race d'Aragon, qui régnoit à Naples au temps de Louis XII, étoit bâtarde.

Enfin Rome, la capitale de toute la chrétienté, & dont les principes auroient dû être bien plus sévères que ceux des autres peuples, a vu longtemps les bâtards des cardinaux succéder à leurs pères.

Ce droit, suivant de Thou, leur avoit été accordé par une bulle secrète qui porte que les fils de Cardinaux, leur succéderont *ab intestat* dans les biens qu'ils auront acquis à quarante milles de Rome. Pie V, dont les mœurs étoient apparemment austères, voulut révoquer cette bulle ; mais les Cardinaux qui avoient des enfans, & c'étoit sans doute le plus grand nombre, puisque leur parti prévalut, s'y opposèrent. La discussion qui s'éleva à ce sujet dans le consistoire fut occasionnée par la mort du cardinal de la Bourdaisière en 1570. Il avoit institué son fils naturel Alphonse, son légataire universel. La maison d'Estrées & celle de Sourdis, héritières du cardinal, intentèrent un procès au tribunal de la Rote. Le roi lui-même ne dédaigna pas de joindre ses instances & ses sollicitations à celles des deux familles ; cependant cette contestation qui dura dix ans, ne fut terminée, suivant le témoignage d'Amelot de La Houssaie, que par un sacrifice de 60 000 livres, auquel consentit le bâtard de l'éminence.

Législateurs ! comparez ces différens usages nationaux & étrangers ; que votre sagesse en pèse les avantages & les inconvéniens, elle reconnoîtra sans doute,

Que l'abolition dans une partie de la France, au droit que les bâtards avoient d'hériter de leurs pères & mères, est contraire au droit naturel.

Que l'intérêt des mœurs, qui a paru commander cette abolition, est nul ; puisque même, dans les pays où les bâtards ne peuvent prétendre que des alimens, leurs pères & mères savent bien, à l'aide de personnes interposées & de fidéi-commis, éluder la loi prohibitive de l'hérédité.

Que les seuls bâtards, vraiment exhérédés, sont ceux dont les pères & mères ont été frappés d'une mort imprévue, ou ont ignoré la ressource des legs indirects.

Qu'il importe peu au corps social que les biens d'un célibataire passent à des collatéraux, ou à des enfans naturels, qui certainement y ont un droit plus sacré par le titre de leur naissance.

Que si la faculté de laisser sa succession à des bâtards, présente au premier coup-d'œil l'inconvénient de diminuer le nombre des mariages, il existe un moyen de le faire cesser, en la restreignant aux femmes, qui sont rarement dans le cas de prétendre à des unions légitimes, après des foiblesses qui les ont rendues mères.

Nos anciens législateurs ne se sont peut-être montrés si sévères que par l'incertitude de la paternité ; mais cette incertitude existe-t-elle pour les mères ?

C'est avec grande raison que quelques coutumes ont dit : *nul n'est bâtard de par sa mère.*

Messieurs, c'est ce principe qu'il est de votre justice de consacrer par un décret & d'ériger en loi commune à tout l'empire. C'est de l'hommage rendu à ce principe que dérivera nécessairement le droit rendu aux bâtards d'hériter de leurs mères libres. Tel est l'objet de cette pétition, dont le succès resserrera les liens du sang entre les mères & les enfans naturels. Celles qu'un moment d'erreur aura séduites, sauront se respecter pour se rendre estimables ; elles se soumettront au joug des mœurs, pour l'imposer à leur tour à leurs enfans. Ces enfans, placés par leur intérêt même dans une dépendance salutaire, obtiendront une éducation qui souvent leur est refusée, & la société comptera sans doute parmi eux quelques hommes qui, perdus autrefois, pour la patrie, la serviront par leurs lumières & leurs talens.

Grandval

ÉTRENNES NATIONALES DES DAMES

LETTRE
DE MADAME LA M. DE M...

30 Novembre 1789

Mesdames et Mesdemoiselles,

Les Gauloises jadis ranimoient au combat le courage chancelant de leurs guerriers. Le 5 Octobre dernier, les Parisiennes ont prouvé aux hommes qu'elles étoient pour le moins aussi braves qu'eux, et aussi entreprenantes. L'histoire et cette grande journée m'ont déterminée à vous faire *une motion* très-importante pour l'honneur de notre sexe. Remettons les hommes dans leur chemin, et ne souffrons pas qu'avec leurs systèmes d'égalité et de liberté, avec leurs déclarations de droits, ils nous laissent dans l'état d'infériorité ; disons vrai, d'esclavage, dans lequel ils nous retiennent depuis si long-temps.

Je suis si convaincue de la justice de notre cause, que si vous daignez me seconder de la séduction de vos charmes et du pouvoir de votre esprit, nous dicterons à nos adversaires, *les hommes,* la capitulation la plus honorable pour notre sexe. S'il se trouvoit quelques maris *assez aristocrates,* dans leurs ménages, pour s'opposer au partage des devoirs et des honneurs patriotiques que nous réclamons, nous nous servirions contre eux des armes qu'ils ont employées avec tant de succès. Je leur dirois : « Vous avez vaincu, en faisant connoître au peuple sa force, en lui demandant si vingt-trois millions quatre cent mille âmes devoient être soumises aux volontés et aux caprices de cent mille familles brevetées par la tolérance et l'opinion. Dans cette masse énorme d'opprimés, n'y a-t-il pas au moins la moitié du sexe féminin ? Et cette moitié doit-elle être exclue, à mérite égal, du gouvernement que nous avons retiré à des enfans qui en abusoient. »

Vous avouerez, mes chères Concitoyennes, que si nous avions de nos sœurs dans les Districts, à la Commune, dans l'Assemblée Nationale même, il y auroit moins de partage et *moins d'aristocratie* dans les grands et les petits corps. Ici, on ne rappelleroit pas sans cesse à l'ordre du jour ; là, à l'ordre des choses ; et tout en iroit mieux.

Que de talens enfouis, si le protestant qui dirige nos finances, et l'Archevêque qui scelle les sanctions royales, s'occupoient, l'un de la confession d'Ausbourg, l'autre des Séminaires et des Prêtres de sa contrée ! N'oublions pas les Irène, les Blanche, les Elisabeth, les Christine et les Catherine ; gravissons les hauteurs où nous pouvons atteindre ; et, si nous parvenons enfin à nous y reposer, quelle source inépuisable de biens pour la Nation et de gloire pour nous ! Que l'esprit de raison, de justice et d'égalité, qui a détruit l'esclavage des François, la servitude des montagnards du Jura, et qui va briser les chaînes des Africains, nous conduise dans les Assemblées régénératrices de la France, nous porte jusque dans le Conseil des Rois, et prouve que nous manquions dans les départemens. Si nous les avons bouleversés, c'est que nous n'y entrions qu'en *domino*. Demandons des Représentantes à l'Assemblée Nationale. Notre sexe y a plus de droit que les deux Corps moraux, qui se réunissent avec tant de peine à la grande masse nationale. Les Gaules, avant le gouvernement des Druides, furent gouvernées par les femmes. Plutarque rapporte que, dans le traité d'Annibal, marchant à Rome pour passer dans la Gaule, il étoit stipulé que toute contestation de Gaulois à Carthaginois, seroit jugée sur les lieux *par les femmes Gauloises*. La confiance des Germains et des Gaulois, dans notre sexe, se soutint aussi long-temps que le paganisme. Elle passa dans le christianisme, en choisissant *des femmes* pour patronnes des villes. Ces Nations, dit Tacite, ne négligent pas les oracles des *Druidesses,* et font grand cas de leurs conseils ; car ils pensent qu'ils sont dictés par la Divinité. *Nec earum consilia aspernantur, aut responsa negligunt : inesse quin etiam sanctum aliquid et providum putant.* Vous voyez, chères Concitoyennes, que, pour mon compte, je sais autant de latin qu'il en faut pour être Ministre ou du haut Clergé.

Il est temps que nous entrions à la Ville : on y a besoin de nos grâces pour faire diversion à l'ennui des détails, au *quakérisme* des Districts, et pour que nos trois cents Spartiates ne meurent pas aux Thermopyles, sous les dards des Perses environnans.

On nous demande à grands cris dans les 60 Districts, pour y faire sentir le ridicule de la loquacité, surveiller les Tribuns du peuple, de race patricienne, et nous opposer au *faux-filage* des ambitieux Citoyens dans la grande chambre de l'Hôtel-de-Ville.

Enfin, les Prétoriens et les Légions nous verront avec plaisir, *non-soldées,* partager les gardes laborieuses et fatigantes dont ils sont accablés. Ce n'est pas que la fantaisie de porter des uniformes nous monte à la tête ; mais le désir de manier un sabre nous porte au cœur. Eh bien !... Si les hommes veulent se réserver la garde du Roi, nous serons les amazones de la Reine.

Pour opérer cette révolution, donnons à la raison pour aides-de-camp, les grâces, les ris, les jeux, la frivolité, la mode même. Je serai volontiers le Journaliste de la Générale et de la Cour. L'Assemblée Nationale a des Vates dans son sein ; les Aristocrates ont leur teinturier à cocarde noire. Eh ! pourquoi pas, puisque les enfers ont leur chapelain. Enfin... *Est-il si mince coterie, Qui n'ait son bel esprit, son plaisant, son génie ?*

Or, puisque tout le monde s'avise d'avoir un prosateur à ses ordres, je serai, mes chères Concitoyennes, votre humble Troubadour. Un M. *profond,* qui travaille pour une machine qui a bien de la peine à se monter, m'a proposé de s'unir à mes travaux : mais semblable aux Aristocrates, qui ont tant de peine à oublier leur nom pour être quelque chose, ce M. *profond* m'a dégoûtée par ses *profondément étonné, indigné, pénétré.* Au contraire des Journalistes qui habitent les faîtes, il semble qu'il ait choisi un puits pour laboratoire. Hélas ! la vérité y est toujours cachée.

Moi, femme dans toute la force du terme, j'aime les fresques plaisantes. Aussi, les matières les plus graves seront plaquées avec les traits les plus burlesques. J'espère que cette mosaïque ne déplaira pas aux hommes qu'il faut faire rire. Les malheureux ! ils n'ont pas ri depuis long-temps. Je laisserai aux folliculaires mâles, l'art ennuyeux de découper, comme des chenilles, le vert naissant de l'arbre national. Faisons-en plutôt un *mai* fleuri, couvert de rubans, de guirlandes et de fruits. Ne touchons point à ces laboratoires, où avec une mixtion de charbon, d'encre et de papier, on rêve à la pierre philosophale ; nous distillerons des parfums, des essences. Voilà le coloris des *Etrennes nationales des Dames.*

Si vous daignez m'aider dans mon projet de restauration, que d'avantages, Mesdames et Mesdemoiselles, n'en retirerez-vous pas ?

Il faut toujours que la femme commande,
C'est-là son goût.
Conte de Gertrude.

Or, vous serez maîtresses à la maison, si vous pouvez l'être sur la place publique. Pendant que vous serez au camp, un grand nombre de vos maris fileront comme Hercule, ou se coucheront comme des Caraïbes. En matière de séparation ou de divorce, vous rendrez justice à vos Concitoyennes ; et, dans le ménage même, vous prouverez aux volages et aux ingrats que la femme est à l'homme *égale en droits,* et vous prouverez, *égale en plaisirs.*

Votre Journal, Mesdames et Mesdemoiselles, paroît d'aujourd'hui 30 Novembre, et trois fois par semaine, les Lundi, Mercredi et Vendredi. Il ira vous chercher.

Vous y trouverez les Décrets de l'Assemblée Nationale, les transactions des Municipalités de Paris et autres Villes principales du Royaume ; les décisions des Assemblées provinciales ; les Jugemens du Châtelet de Paris, comme Tribunal institué pour juger les crimes de lèse-Nation ; ceux des Tribunaux de France ; les nouvelles de la Cour des Tuileries et des Cours étrangères ; des extraits de Gazettes angloises et étrangères. Enfin, vous aurez des vues sur l'administration politique, civile et militaire ; des indications sur le commerce, l'industrie et l'agriculture. Sciences et arts, romans, anecdotes, historiettes, vers, théâtre, modes, découvertes ; oh ! vous aurez bien des choses, et qui, mes chères Concitoyennes, vous occuperont à la toilette trois matins par semaine. Mais je ne veux point vous présenter de *Prospectus,* ils ressemblent pour l'ordinaire à fausses enseignes.

Mes co-opérateurs et moi, nous allons faire tous nos efforts pour remplir dignement notre tâche, et opérer une révolution en faveur d'individus charmans, que l'injustice des hommes, quoique devenus libres, ne se lasse point de traiter en *Tiers-Etat.*

Vos Etrennes contiendront 8 pages au moins, grand *in-8°*, caractère petit romain, et souvent 12, quelquefois 16 pages, suivant l'abondance des matières.

Prix de la souscription, pour un an, 24 livres ; pour six mois, 12 liv., franc de port pour Paris et la Province.

On souscrit rue Neuve-Saint-Eustache, N° 48, chez M. *de Pussy*, collaborateur, et chez tous les Libraires de la Capitale et de la France. On peut envoyer l'argent par la poste *. Toutes lettres seront affranchies, sans quoi elles ne seront point retirées. Il en sera de même des envois qui seroient faits à dessein d'être insérés dans le Journal.

Allons, chères Concitoyennes, abonnez-vous, et envoyez-nous des raisons, des faits et des pièces contre ces *hommes injustes*. Dans peu, nous obtiendrons d'eux l'existence politique.

J'ai l'honneur d'être,

Votre très-h et t. o. servante,

L. M. D. M.

---

* Les personnes qui désireront recevoir les numéros subséquens, sont priées de souscrire au Bureau, à Paris, ou chez les Libraires et Directeurs des Postes.

VUES LÉGISLATIVES POUR LES FEMMES

ADRESSÉES A L'ASSEMBLÉE NATIONALE, PAR MLLE JODIN *, FILLE D'UN CITOYEN DE GENÈVE.

PAR MADEMOISELLE JODIN 1790

L'Assemblée de Paris s'occupera des moyens de remettre en activité les règlemens qui jusqu'ici ont été inutiles, pour réprimer le scandale de la prostitution publique.

cahier du tiers. Page 67.

A mon sexe

Et nous aussi nous sommes citoyennes

Quand les François signalent leur zèle pour régénérer l'Etat, & fonder son bonheur & sa gloire sur les bases éternelles des vertus & des loix, j'ai pensé que mon sexe qui compose l'intéressante moitié de ce bel Empire, pouvoit aussi réclamer l'honneur & même le droit de concourir à la prospérité publique ; & qu'en rompant le silence auquel la politique semble nous avoir condam-

* Fille d'un horloger genevois, collaborateur à *l'Encyclopédie*. *(Note des éditrices.)*

nées, nous pouvions dire utilement : *Et nous aussi nous sommes Citoyennes.*

A ce titre n'avons-nous pas nos loix comme nos devoirs, & devons-nous rester purement passives dans un moment où toutes les pensées devenues fécondes pour le bien public, doivent aussi toucher le point délicat, le lien heureux qui nous y attache ? Non, il est un plan nécessaire au maintien de notre Législation ; & ce plan fondé sur des bases antiques & pures, qui ont cédé aux combinaisons perpétuelles que produisent les vicissitudes des temps, & l'altération des mœurs, ne peut être, ce me semble, régénéré que par nous-mêmes.

Je ne me propose, que d'annoncer ce plan. C'est un simple Programme ; il invite mes Concitoyennes à partager un travail bien digne d'elles, & des motifs qui me l'ont inspiré. Heureuse ! de payer à ma patrie, non la dette des talens, mais celle du cœur ; & à mon sexe celle de mon estime.

VUES LÉGISLATIVES POUR LES FEMMES (extraits)

Dans un temps où la vraie Philosophie commence à éclairer tous les esprits, où le Despotisme abattu laisse sans défense les préjugés qui n'existoient que par lui, le sexe foible, que la force tenoit éloigné des délibérations publiques, réclameroit-il en vain ses droits imprescriptibles ? Cette moitié essentielle de la Société ne doit-elle avoir aucune participation au Code législatif promulgué au nom de la Société entière ? A ces questions je vois la raison et l'équité qui animent l'auguste Assemblée des

Représentans de la Nation, s'étonner qu'elles n'ayent point été faites plus tôt, et s'empresser à les accueillir. Suivons donc l'impulsion générale qui dirige toutes les idées vers le but d'une liberté reconquise, que l'oppression nous avoit également usurpée.

S'il est vrai que notre condition nous environne de devoirs particuliers à notre sexe, outre ceux attachés au titre de Citoyennes, il nous faut un Code législatif indépendant de celui que nous partageons avec la masse entière des Citoyens, de même qu'il faut un régime individuel aux diverses parties d'une Administration générale. Examinons donc dans la sagesse de la médiation, celui qu'il nous convient de faire adopter à nos Législateurs, et voyons quelle est la source des désordres qui ont souillé notre gloire et entaché nos vertus premières. Ces désordres dérivent moins de l'imperfection de notre nature, que de la négligence des Loix qui ont laissé s'introduire dans nos mœurs une licence, de laquelle a résulté le scandale d'une prostitution publique, qui avilit spécialement ce sexe, qui sera toujours dans la main des Loix un roseau flexible qu'elles dirigeront aux vertus, par leur activité, et à leur dégradation, par leur insouciance.

Veut-on nous élever aux grandes choses ? Il ne s'agit que d'exciter notre émulation ; or elle ne peut prendre d'activité que par une nouvelle organisation politique, qui rende à l'opinion tout l'empire de son ascendant, et qui nous dégage de l'espèce de tutelle qui nous sépare en quelque sorte des intérêts publics, dont nous ne nous rapprochons que par le vœu de nos cœurs et par cet attrait irrésistible qui nous porte vers ce sexe impérieux qui asservit toutes nos volontés, comme nos affections. Mais tandis que la subordination qu'il a su rendre inséparable de notre condition, nous courbe sous ses loix, elle n'a pu cependant étouffer en nous le sentiment de nos droits; nous les réclamons aujourd'hui, Messieurs, qu'un nouveau plan de Législation doit s'occuper des liens qui nous attachent à l'harmonie civile. Si vous avez éprouvé d'heureux effets de nos conseils particuliers, lorsque l'estime et l'amour nous ont donné l'accès auprès de votre confiance; quels plus grands avantages n'obtiendrez-vous pas de notre reconnoissance en nous restituant ces droits que nous assurent la nature et le pacte social, puisque nous ne pouvons les devoir qu'à votre résiliation.

Nous espérons donc, Messieurs, que cette considération vous déterminera à méditer de concert avec nous, le plan d'une Législation qui nous soit individuelle. La réforme de celle qui nous commande aujourd'hui est d'autant plus importante, que les vices qui surchargent son régime, seroient un obstacle invincible au bonheur général qui, dans ce moment, exerce si vivement votre zèle et vos lumières.

Nous vous observerons d'abord que l'opprobre auquel votre police semble dévouer une partie de notre sexe à l'incontinence du vôtre, outrage les Loix et détruit le respect attaché aux titres sacrés de Citoyennes, et d'épouses, et de mères [1]...

A Athènes, où les Courtisanes ont eu le plus d'éclat, elles ne furent tolérées qu'en substituant à l'austérité des mœurs, les agrémens de l'esprit et des talens; serez-vous Messieurs, moins délicats que ce Peuple avec lequel vous avez tant de rapports?

---

1. Tout le monde sait que la Police regarde les filles publiques comme nécessaires dans les grandes Villes. N'est-ce pas les dévouer en quelque sorte à ces prétendus besoins, que de les tolérer...?

Nous avons vu, dans le Pornographe, un plan d'établissement propre à circonscrire, dans un seul quartier de la ville, ces sources fécondes de corruption et de ruine pour nos mœurs, afin de les soustraire à la jeunesse, dont elles souillent les premières pensées, comme les premiers regards.

... Opposeroit-on le système de ces Législateurs, qui pensèrent que la prostitution est un mal nécessaire, par-tout où l'on veut qu'il existe de la pudeur ?

... Une autre source d'immoralité nationale, c'est le peu d'attention que donne la police aux estampes obscènes dont vos places publiques, vos promenades et vos quais sont couverts. Ces objets retracés de toutes parts, corrompent les regards de l'enfance, lui donnent l'idée du vice, et en justifient la turpitude.

Telles sont, Messieurs, n'en doutez pas, les sources de la corruption de nos mœurs. Voilà ce qui fait dégénérer une nation, et d'un peuple fier et courageux, en fait une multitude inerte et sans vigueur, incapable de résister aux fers du despotisme et des préjugés...

L'amour de la patrie, de la liberté & de la gloire, anime autant notre sexe que le vôtre, Messieurs ; nous ne sommes point sur la terre une autre espèce que vous : l'esprit n'a point de sexe, non plus que les vertus ; mais les vices de l'esprit & du cœur appartiennent presque exclusivement au vôtre. Cette vérité dure me coûte à vous dire, mais il est quelquefois permis de prendre sa revanche. Un écrivain moderne a osé avancer que les femmes ne comprennent guère une idée politique, pour peu qu'elle soit vaste & compliquée ; mais il leur accorde des notions admirables, sur l'ordre & l'économie domestique : il ajoute, qu'étrangères au patriotisme, elles sont très attachées au doux plaisir de la sociabilité. Qui a donc donné à cet écrivain la mesure de nos facultés, pour en tracer si hardiment le cercle ? Cette opinion n'a pu s'accréditer qu'à la faveur des préjugés, suite naturelle du despotisme, & de la dépendance à laquelle nous a soumis un sexe impérieux qui se surprenant, au réveil de la nature, plus fort que la compagne qu'elle lui donna dans sa bonté, a pensé que la supériorité lui appartenoit en tout. Si les qualités de l'esprit & du courage, dépendoient de muscles plus ou moins forts, ce système ridicule ôteroit la couronne à des Princes délicats, pour en ceindre le crâne épais d'un Suisse, ou d'un Hollandois. Les actions de courage du chétif individu, du valeureux Turenne, & de tant d'autres Guerriers, l'esprit sublime, universel, émané de la frêle constitution de Voltaire, déposent contre cette misérable hypothèse.

Au reste, nous ne serions pas moins robustes, que vous, Messieurs, si de bonne heure, on nous accoutumoit aux exercices pénibles & laborieux.

... La modestie assignée aux femmes, & par la nature, & par les loix, tient leur vertu dans l'ombre, leur premier devoir étant de ne faire parler d'elles, elles ne doivent jouer que derrière la toile, sur le théâtre du monde ; elles ne peuvent paroître sur la scène que lorsque quelques circonstances les y appellent ; alors elles y paroissent avec autant de dignité, que les hommes les plus exercés [1]. Quel est le genre, par lequel elles ne se soient pas distinguées ? Les belles-lettres réclament un grand nombre d'elles ; les noms des Giovani, Desroches, Barbier,

1. La comtesse de Guébriant, Mme de la Haie-Ventelay, &c., &c.

d'Aulnoy, de La Suse, de La Sablière, Lambert, la célèbre Agnésie, Villedieu, Deshoulières, Sévigné, Genlis, Beccary, ne sont ignorés de personne.

Nous ne méritons ni moins d'éloges, ni moins de censures que vous, Messieurs : des femmes sont la honte de leur sexe, d'autres en sont l'honneur : nul frein ne retient celles-ci dans le vice, rien n'arrête celles-là dans le sentier pénible des vertus. Votre sexe n'est pas plus exempt que le nôtre, de ce contraste : par quels motifs, pourriez-vous donc asseoir un *il n'y a lieu à délibérer,* sur cette réclamation de nos droits, à contribuer avec vous à l'utilité publique, dans l'objet des loix qui nous concernent seules ? Un sexe n'a pas été établi l'oppresseur de l'autre, & ces ridicules débats de supériorité, font injure à la nature. Vous êtes nés nos amis, & non pas nos rivaux ; nous sommes vos émules : nous réduire à l'esclavage, c'est abuser contre nous d'une force qui vous est donnée pour nous défendre ; c'est priver la société de ce qui en fait le charme & la vie, c'est imiter les Orientaux qui, joignant à une passion brutale le sentiment de leur foiblesse, ont donné aux femmes des chaînes, pour éviter d'en recevoir. Ces maîtres orgueilleux, victimes de leur jalouse tyrannie, ont en vain cherché le sentiment qui, non plus que le plaisir délicat qui l'accompagne, ne se trouve qu'où règne la liberté...

Sous tous les rapports, l'homme serait moins parfait, moins heureux, s'il ne conversoit avec les femmes. Loin de nous, Messieurs, votre imagination est sans action, vos productions sans grâces, votre philosophie sombre et dure ; loin de vous, les nôtres seroient trop légères ; c'est par votre communication que nos talens et nos qualités se développent et acquièrent de la solidité. De ce mélange de services mutuels résulte un accord heureux qui nous rend mutuellement plus voisins de la perfection; les défauts des deux sexes, s'atténuant l'un par l'autre, les femmes, quoique vous fassiez, seront toujours le grand ressort de la société.

... Si nos Annales déposent, Messieurs, de notre aptitude à tout ce qui peut rendre nos facultés propres au bien de la société et à l'utilité publique, c'est particulièrement sur les vertus civiles qu'elles doivent être appliquées, parce que ces vertus sont mieux protégées par nous que par votre sexe, distrait de la vigilance qu'elles exigent par son inquiète ambition, qui le porte toujours au-delà de la place qu'il occupe.

« Quand vous voudrez connoître les hommes, a dit le célèbre Citoyen de Genève, étudiez les femmes. Dans tout pays, dans tout état, dans toute condition, les deux sexes ont entr'eux une liaison si forte, si naturelle, que les mœurs de l'un décident toujours des mœurs de l'autre. » Si vous vous pénétrez de cette vérité, Messieurs, si votre sagacité s'applique à la recherche de toutes les filières sociales, où serpente l'empire plus ou moins sensible des femmes, si vous calculez le mal et le bien qui résultent de leur existence civile, si vous vous reportez dans ces temps où elles assignoient les rangs, distribuoient les prix d'honneur, vous vous hâterez de leur rendre cet honorable ascendant, qui, donnant plus d'action, peut-être plus de justesse à vos loix, ressuscitera en elles des vertus qui sont la mesure des vôtres. Si la loi des mœurs naît de l'opinion dont elle tire sa force, c'est particulièrement sur les femmes qu'elle exerce plus puissamment son empire. S'il reste quelques vestiges de la vertu, c'est encore chez elles qu'on les retrouve, parce que la pudeur, la modestie, la douceur, sont en nous des vertus naturelles, que rien ne peut détruire aussi généralement dans notre sexe, que dans le vôtre. Pour corriger les mœurs, a dit Montesquieu, il faut en avoir. A qui des deux sexes appartient-il donc, d'après cette hypothèse, de les réhabiliter, si ce n'est à celui qui en a conservé le plus, à celui qui, subissant toute la rigueur de la loi, reste seul flétri, dans l'opinion publique, de l'attrait d'un penchant qui nous est commun, à celui des deux sexes, enfin, auquel vous êtes subordonnés par l'ordre de la nature, qui fait dépendre l'accomplissement de son vœu, du concours de nos désirs avec les vôtres, et par les loix qui doivent en légitimer les convenances ? Vouloir contenter ses désirs, a dit Jean-Jacques, sans le vœu de celle qui les a fait naître, c'est l'audace d'un satyre... Des femmes, comme des hommes, aiment mieux se donner la mort que de survivre à la perte de leur honneur.

... On compte à Paris trente mille filles vulgivagues, qui n'ont d'autre existence que celle que leur procure le vice qui les soudoie... Dans ce nombre, il en est beaucoup, que le manque d'ouvrage ou de service conduit au dernier oubli d'elles-mêmes, qui seroient retirées, par notre établissement, du gouffre de la prostitution, à laquelle, elles gémissent de se trouver réduites. Celles que la Police renferme dans un hôpital en ressortent plus pauvres et plus corrompues ; plus pauvres, parce qu'elles y ont dépensé le peu d'argent qu'elles pouvoient avoir ; plus corrompues, parce que la communication du vice avec le vice, résulte plus d'audace. Telles de ces filles, encore dans l'âge tendre où les mauvaises impressions données peuvent se réformer, enhardies par les maximes de celles qui les ont égarées, ou par l'abandon d'un suborneur, achèvent de perdre dans cette licencieuse captivité, toute espèce de retenue...

Les excursions périodiques, au moyen desquelles votre police en expulse trois ou quatre cents par mois, qu'elle entasse dans un hôpital, sont sans effets pour l'objet qu'elle se propose, comme pour leur correction, puisqu'il en ressort un nombre à peu près égal aux mêmes époques. Ce n'est pas par cet inepte procédé qu'on détruira cette vermine engendrée par la corruption des siècles. Ce ne sont ni les grands actes d'autorité, ni les coups d'une police sourdement active, ni les interprètes insoucians et intéressés des loix ordinaires, qui peuvent faire ressortir, des devoirs civils des femmes, tous les fruits que la société peut en recueillir. Leur législation exige une délicatesse incompatible avec l'esprit de la juridiction préétablie ; elle demande une vigilance de sentimens qui ménage la foiblesse, des combinaisons appelées par la sensibilité, de profondes vues ; une main souple et mobile qui retienne sans peser, anime sans effort, commande sans supériorité, soit ferme sans rigueur, corrige sans offenser, menace sans révolter, et persuade avec ces grâces attrayantes qui savent asservir les caractères les moins dociles.

S'il est vrai que cette finesse de tact et cette adresse de procédés dépendent plus de la flexibilité que de la force des organes, n'est-ce pas chez les femmes qu'il faut les chercher ? L'objet des mœurs est d'autant plus de leur ressort qu'elles en sont les dépositaires-nées ; elles vous en donnent, Messieurs, les premiers élémens ; elles tracent en vous le trait du caractère qui doit décider de votre gloire, de vos vertus et de vos destins ; elles gravent dans vos âmes les principes de vos devoirs ; elles tressent les liens qui vous attachent à la société ; elles préparent vos filles aux devoirs de l'association intime de l'hymen. Les faire législatrices des mœurs, ce seroit donc leur restituer un droit que leur assigna la nature, et dont les a dépouillées une politique mal entendue.

L'établissement d'une jurisdiction de femmes n'est pas une innovation, messieurs; l'histoire de tous les peuples en donne plusieurs exemples; les Ethiopiens ne confioient qu'aux femmes l'administration de leurs provinces : selon Mandesto, ce sont les femmes qui gouvernent dans l'Isle de Bornéo; leurs maris n'y ont d'autres prérogatives que d'être les plus distingués d'entre leurs vassaux. Dans les Indes Occidentales, les Achinois sont toujours gouvernés par une reine, en vertu d'une loi qu'on peut appeller anti-salique, qui défend qu'aucun homme ne monte sur le trône. Plusieurs contrées ne sont administrées que par des femmes. Dans l'Isle Formose, le ministère sacerdotal est exercé par elles. Aristote nous apprend que chez les Lacédémoniens, elles avoient beaucoup de part au gouvernement; chez les peuples de Germanie, elles étoient de tous les conseils; daignez vous rappeler, Messieurs, que les Gauloises avoient acquis une si haute réputation de justice et de sagesse, qu'il fut arrêté que si un Gaulois offensoit un Carthaginois, le jugement en seroit remis aux Gauloises. Les Gaules partagées en seize cantons, eurent pendant long-temps un conseil général composé de femmes choisies dans ces divers districts; un semblable tribunal exerçoit dans le même temps ces fonctions dans la Grèce. En Irlande, les femmes se constituoient dans toutes les provinces, en compagnie de Sénat, sans que le Parlement de Dublin trouvât son autorité ni sa dignité blessées par cette corporation. La France, offre elle-même des exemples des cours judiciaires des femmes [1]. Quoique celle qui existoit sous Charles VI, ne fût qu'une association d'amusement et de société, elle eut cependant une influence réelle sur les mœurs. Le cardinal de Richelieu en fit assez de cas,

1. Voyez les savantes recherches du Président Roland, sur les prérogatives des Dames Gauloises.

en pressentit si bien le reflet politique, qu'il tenta de la rétablir ; mais les mœurs de son temps n'étoient déjà plus les mêmes : dégénérées de plus en plus, les femmes déchues de cette prépondérance que leur assignoit dans ces temps de la chevalerie, une opinion religieuse, sont enfin parvenues à cet état de nullité qui les met sous la main de l'audace et de l'impéritie des loix.

Dans ce moment où les plus heureuses révolutions se préparent, où fatigués des vices politiques et des excès de tout genre qui ont dû leurs progrès à la désuétude des loix et des mœurs, qui ont subi, comme la beauté, l'outrage des temps qui la décomposent, dans ce moment où vous vous occupez, Messieurs, à leur rendre cette première vigueur sous laquelle nos ancêtres ont vu fleurir l'honneur d'un sexe, pour lequel leur estime égaloit leur amour, nous espérons que touchés de la justesse de ces représentations, vous nous appellerez à concourir avec vous au grand œuvre de la restauration du bien public, dans la partie de nos mœurs, qui sont le rempart des vôtres. Si l'ordre de la société, son ressort dépend spécialement de la vertu pudique des femmes ; si l'observation de ce précepte constitue leur honneur, comme le courage est le point d'honneur du vôtre, si vos loix en déférent le régime à un tribunal unique et suprême [1], pourquoi n'aurions nous pas le nôtre ? Seroit-il à craindre que redoutant notre sévérité, on préférât l'ordre actuel qui laisse à votre sexe toute la facilité de donner à ses passions un coupable essor, et nous charge seules de leur opprobre ? Non, ce motif injurieux à sa gloire, ne peut avoir d'accès sur les hommes vertueux, héroïques, qui composent aujourd'hui l'auguste Assemblée à laquelle

1. Celui des Maréchaux de France.

nous commettons nos intérêts ; sur des hommes supérieurs à toute espèce de séduction ; pour qui nos charmes sont étrangers, et l'amour sans flambeau ; qui, par cela même, peuvent fondre dans leurs moyens de gloire patriotique, celui de nous faire une restitution nationale.

PROJET D'UN TRIBUNAL

AFFECTÉ AUX SEULES FEMMES, ET PRÉSIDÉ PAR ELLES POUR LA CAPITALE.

Règlement de la Jurisdiction

Deux manières se présentent pour procéder à la création de ce tribunal ; la première doit avoir deux divisions, l'une sous le titre de Chambre de Conciliation, l'autre sous celui de Chambre Civile.

Cinquante femmes siégeront à la Chambre de conciliation, quatre-vingts à la Chambre Civile ; ces femmes seront choisies parmi les Citoyennes désignées par la haute considération que leur ont méritée leurs mœurs, leurs vertus et leurs talens. C'est les nommer, que les indiquer ainsi.

RESSORT DE LA CHAMBRE DE CONCILIATION.

Article premier

Examen des Causes en Séparations qui ne pourront être portées que par appel aux Cours ordinaires. On sent assez que l'intervention de cette Chambre préviendroit souvent des procès qui font la honte et la ruine des familles, récemment celui de Mme de Kornmann. Les maris, par une exposition de leurs griefs à ce Tribunal, éprouveroient souvent d'heureux effets, d'une réprimande douce, d'une confusion adroitement ménagée, de la crainte même d'y être cités.

II

Les motifs d'une séparation volontaire des maris et femmes, soumis à ce Tribunal, qui doit en régler les convenances, en épurer les motifs qui pourroient être attentatoires à l'honneur des femmes dans l'opinion publique.

III

Les veuves déposeront les plaintes que peuve nécessiter la conduite de leurs filles, émancipées par la mort de leur père ; dans le cas d'une autorité trop foible de la part des mères pour les maintenir, sauf aux demoiselles à justifier des plaintes portées contre elles.

IV

Une fille ne pourra entrer dans un Monastère avec le vœu même de s'y consacrer, sans avoir déposé de la liberté de son choix. Cet usage préviendra les abus d'autorité qui portent souvent les pères et mères à obliger leurs filles à prendre le voile, soit par de mauvais traitemens, soit par un ordre prononcé, pour améliorer aux dépens de la fortune qui leur est destinée, celle d'un fils, d'un neveu, ou tel autre objet de leur prédilection.

V

Les frères et sœurs, cousins et cousines, ne pourront plaider en justice réglée, sans avoir déposé de leurs motifs au Tribunal, et que par appel de son Décret.

VI

Toutes discussions élevées entre les deux sexes, seront soumises au Tribunal.

VII

Les promesses de mariage, faites avant l'âge de majorité, qui compromettroient les convenances du jeune homme ou de sa famille, seroient annulées au Tribunal, dans le cas où la séduction seroit évidente de la part de la fille ; dans le cas contraire, elle sera autorisée à poursuivre aux Cours supérieures, pour en obtenir justice. Deux années de plus sur la tête du jeune homme, seront une présomption contre lui.

Jurisdiction de la Chambre civile

Cette seconde division ne connoîtra, que du seul objet de scandale public.

... Toutes les causes portées à ce Tribunal, seront instruites et plaidées sur de simples mémoires, sans frais pour les parties, ou par des défenseurs choisis parmi les seules personnes du sexe.

Tous les jugemens seront également sans frais et purement correctionnels.

Seconde manière de procéder à la création du Tribunal

La plus désirable est d'assigner au mois du Mai prochain, une Assemblée de l'élite des femmes de nos Provinces, qui venant se joindre à celles assignées par la

Capitale, procéderoient avec elles à la rédaction de nos Loix, la confection en seroit d'autant plus satisfaisante, que le concours des lumières en assureroit la sagesse. Quelque bien conçu que puisse paroître un plan, émané de la combinaison d'un seul individu, il sera toujours fort inférieur à celui qui s'épureroit au flambeau de la discussion. Il doit être procédé aux statuts de nos Loix, comme la Nation procède à la refonte des siennes. Le Roi, qui a rassemblé dans sa bonté paternelle l'élite des hommes éclairés qui procèdent aujourd'hui à ce grand œuvre, ne peut oublier que nous faisons partie de sa grande famille.

DU SORT ACTUEL DES FEMMES

ANONYME

Août 1791 ?

Aux bons esprits

Il y a vingt-six mois que le corps législatif est assemblé ; il y a vingt-six mois qu'il examine les principes absurdes qui nous ont gouvernés, les institutions vicieuses qui en sont dérivées.

Il y a vingt-six mois qu'un des plus importans objets de l'ordre social est ou paroît être méconnu.

La moitié de l'espèce humaine est privée de ses droits naturels ; et c'est précisément celles que les anciens regardèrent comme sacrée, parce qu'ils analysoient et son essence et ses bienfaits.

Maintenant elle languit dans un état qui approche de celui de l'esclavage, et qui est en réalité celui de la servitude.

Vous, profonds politiques, qui avez dû vous instruire à l'école des siècles où les hommes élevoient des autels à la justice comme à la liberté, souvenez-vous de ce que furent la Gaule, la Germanie, la Grèce, dans leurs jours de gloire et de bonheur; remettez-vous en mémoire les temps et les lieux où se déployèrent sur le globe les modèles de la perfection sociale. Vous trouverez que là étoient comprises dans l'Etat, comme membres de l'Etat, celles qui maintenant naissent, souffrent, produisent et meurent dans un véritable asservissement.

On sait que l'artifice des prêtres se servit de l'esprit subtil et métaphysique des femmes, pour introduire les dogmes d'un culte qui paroissoit devoir porter l'âme à sa perfection. Ce culte sublime, dans sa morale, une fois adopté de celles qui commandoient les vertus et savoient les persuader, bientôt devint un culte dominant. C'étoit dans ces temps où les mères de la patrie siégeoient encore dans les assemblées législatives, à côté de leurs fils et de leurs époux, où l'on se souvenoit que c'étoient leurs voix qui avoient arrêté ou excité les combats, suivant qu'ils leur avoient paru injustes ou nécessaires.

Les pratiques religieuses arrachèrent les femmes aux occupations politiques, et les portèrent à la vie contemplative; elles se consacrèrent à l'humilité, servirent leurs égaux, oublièrent le monde réel pour le monde révélé. C'est alors que l'ambitieuse adresse leur enleva par degrés les droits qu'elles abandonnoient. C'est aussi vers cette époque que la férocité conduisit des nations étrangères sur le sol heureux que nous habitons.

La subversion fut générale; le vainqueur, le vaincu, se confondirent; les traces des usages et des loix furent effacées.

Il s'établit sur cette terre, qui semble destinée à porter encore des êtres raisonnables, des pratiques, des règles dictées par l'adresse ou commandées par la force. Plus ces usages troubloient les sens et la raison, plus ils étoient favorables au collège des prêtres.

Ils créèrent des potentats, agents secrets de leurs desseins; ils surent les tromper par de faux respects; mais ils ne pensèrent jamais qu'à se soumettre la race humaine.

La force morale est un don que la nature accorde à la femme; la qualité de cette force, toujours agissante, est nécessaire pour rendre l'être sensible et lui faire endurer en même temps les maux que la nature lui donne. Soumettre cette force à elle-même, en l'exaltant au plus haut degré, est ce qu'a fait la traîtresse politique de nos anciens tyrans. Ils ont inspiré le goût des vertus extrêmes, créé des vertus factices, de peur que les vertus natives ne renversassent leurs desseins. Ils ont porté, par excès de sensibilité, la femme à chercher le mérite et le bonheur dans la dépendance servile. En suivant les mêmes vues, ils ont porté l'homme à l'endurcissement, à l'orgueil, en lui accordant une puissance démesurée, lui permettant le désordre des mœurs et celui de la domination. Créer des victimes soumises et des victimes altières, prêtes à servir et à combattre pour eux, voilà ce que firent et durent faire les artificieux usurpateurs qui trop longtemps écrasèrent les nations.

Nos fils furent ravis à la tendresse maternelle. Après nous avoir égarées par les illusions religieuses, ce charme se dissipant, on voulut nous égarer par de faux hommages qui sembloient nous restituer ce que nous avions perdu. Tous les moyens de paralyser les êtres les plus favorablement organisés furent mis en pratique. Les femmes se méconnurent et s'oublièrent, se laissèrent entraîner dans les complots de leurs ennemis. On en voit encore qui se livrent aux frivolités qui les dégradent... Rousseau, en les charmant, leur rendit une de leurs plus belles et plus douces fonctions; mais lui-même n'avoit pas reconnu le système général qui devoit les réhabiliter; ou, s'il l'avoit connu, le temps, les mœurs, les habitudes ne permettoient pas qu'il le produisît. Tout dire, dans ses livres, alors qu'il écrivoit, eût été ne rien obtenir.

C'est dans la salutaire crise où nous sommes qu'il est permis de lancer le trait qui montre à découvert le but où nous devons atteindre. On n'a point médité sur cette matière importante, sans laquelle pourtant il n'y a point de véritable civilisation : il est temps que les bons esprits s'en occupent.

Veut-on de la santé, de la force, de la justice, de la vertu, on veut des mœurs; veut-on des mœurs, il faut que les femmes s'honorent; veut-on qu'elles s'honorent, il faut leur rendre leurs droits, leurs propriétés, tous aussi saints, tous aussi sacrés que le sont les droits et les propriétés des hommes.

Comment récompensez-vous, dans votre constitution sociale, le plus sacré des devoirs, celui de produire, de soigner, d'instruire, d'élever les enfans qui réparent le monde ? Est-ce par des honneurs ? Non : il faut que la femme reste ignorée. Est-ce par des richesses ? non : les biens qui lui sont propres ne lui appartiennent plus, du moment qu'elle s'est dévouée à remplir ce que la société demande à chaque individu : sa reproduction, dette de la nature. La minorité d'une mère n'a de terme que celui de la vie de son époux. Ceux qui lui doivent l'existence ont une propriété, et elle n'en a point. Ils sont considérés, et elle est inconnue; ils sont indépendans, et elle est encore asservie. Elle est sans droits, sans propriétés, sans état, sans pouvoir. Tant que l'époux respire, elle n'est rien. Lui... il peut arbitrairement, porter la contrainte et répandre la douleur... Mais ce n'est point ici l'occasion de peindre les malheurs domestiques. L'institution du mariage, comme presque toutes celles qui nous régissent, passa sous la direction sacerdotale; les fers des épouses furent rivés par ceux-là qui se rendoient maîtres des consciences.

Eloignons ces détails : il ne s'agit pas d'alléger les maux, il s'agit de restituer des biens. Montrer les femmes gémissantes, c'est intéresser la pitié ; et ce n'est pas la pitié qu'elles demandent, c'est un droit qu'elles ont à réclamer, un droit inhérent à leur être.

Consultez, législateurs, et Buffon et Spallanzani, pour ne pas vous renvoyer à la poussière des bibliothèques; pénétrez-vous des vérités naturelles que cachent d'épais rideaux; écoutez le cri de la nature, de la justice et de la reconnoissance. La nature vous dira que vous êtes fils, époux et pères; la justice, que la plupart de vos qualités, de vos vertus sont acquises par le secours de vos mères, de vos épouses, de ces êtres aimans, portés par élancement vers le bien; la reconnoissance, que celles qui vous ont donné la vie, qui vous la font aimer, ne doivent point être oubliées et sacrifiées.

Qu'ils seroient orgueilleux ou trompeurs, ceux qui nieroient que la plupart de leurs inspirations ayent été produites par ce sexe dont les fibres déliées, l'âme ardente et l'esprit pénétrant cherchent, saisissent, embrasent les projets, les desseins qui pourroient fixer le bonheur sur les générations renfermées en lui! Oui, messieurs; ceux qui, parmi vous, méritent qu'on les honore (et ils sont en grand nombre), conviennent que la voix touchante de celle qu'ils doivent aimer a souvent ou réveillé, ou soutenu, ou fortifié leur génie; qu'ils ont puisé près des femmes des pensées nobles; qu'ils ont recueilli de leurs entretiens, des indications lumineuses, quelquefois de grandes vues et de grands résultats. Elles savent qu'elles ont cette puissance de vous montrer, comme en vous les faisant découvrir, des vérités utiles : mais, généreuses pour la plupart, elles cachent leur action sur vos esprits. Trop désintéressées, elles ne vous ont entretenu que de vous-mêmes; pensant à leurs fils, oubliant leurs filles, de peur que leur intérêt propre, se joignant à celui-là, ne corrompît le sentiment de l'intérêt public.

Mais est-il permis de garder le silence quand, après avoir décrété les droits de l'homme, on a entendu ceux qui ont concouru à cet œuvre, dire, avec ostentation, que les droits de la femme n'y étoient pas compris; que les femmes n'étoient rien, et ne pouvant être autre chose que les bêtes de somme de l'humanité ? ... *Ma femme est à moi comme mon chien* est un mot prononcé dans nos tribunaux il y a peu d'années : la gravité des magistrats n'en fut pas altérée.

Grégoire de Tours nous apprend qu'au douzième siècle, dans un fameux concile, on mit en question *si l'âme de la femme pouvait être considérée comme une âme*... Ces horreurs ne vous appartiennent pas, Messieurs. Peut-être en est-il quelques-uns qui seroient très capables de les reproduire, et qui déclameront comme au douzième siècle, alors qu'on voudra modifier leur petit despotisme individuel, ou celui qui, divisant les ménages, promet aux célibataires de certaines douceurs qui ne s'offriroient pas dans un état de paix et d'égalité.

La plupart d'entre vous rougiroient de se montrer des fils ingrats, des époux barbares, des pères despotes; vous avez désigné vous occuper du sort des femmes à l'occasion des loix pénales : mais n'y auroit-il pas quelque erreur dans votre rédaction ? – Art. 29 : « Dans le cas où la loi porteroit la peine de la dégradation civique, si c'est un étranger, une fille ou une femme qui est convaincue de s'être rendue coupable desdits crimes, le jugement portera : tel ou telle est condamné à la peine du carcan. Tout étranger, toute femme ou fille, etc. » Oui, messieurs, sans le vouloir sans doute, vous avez assimilé les femmes et les filles françoises aux hommes étrangers à la patrie. Quoi ! les femmes ne seroient pas citoyennes ! pouvez vous leur ravir ce titre avant qu'elles s'en soient rendues indignes ? Et ne les punissez vous pas toutes en général, alors que vous n'avez pas dégradé effectivement celles qui, coupables, mériteroient de le perdre ? Punissez les femmes avec rigueur ; car leurs vertus sont encore plus nécessaires que les vôtres, puisqu'elles s'impriment dès le berceau ; puisqu'elles vous les font, pour ainsi dire, sucer avec le lait. Mais qu'un de leurs plus grands châtimens, soit celui d'être rejetées de la patrie ; de la patrie qu'elles repeuplent ou doivent repeupler, qu'elles aiment d'une tendresse incomparable, puisque ceux qui la composent naissent de leurs douleurs.

PENSÉES DIVERSES

QUI DEVOIENT ENTRER DANS LA COMPOSITION DE L'ESSAI SUR LE SORT DES FEMMES.

Si les femmes des artistes ont déployé un civisme honorable, c'est que les mœurs des hommes à talens sont plus raisonnées que nos loix ; c'est que leurs compagnes étant moins dépendantes ont plus d'énergie.

L'assemblée, en indiquant le dessein qu'elle a d'établir plus d'égalité entre les époux, animeroit les armes éteintes, donneroit de l'élan à celles qui se compriment. On verroit toutes les femmes s'empresser d'imiter l'action trop vantée des Dames Romaines. Elles étoient reconnues de leur patrie !... L'héroïsme est plus grand pour nous de l'aimer en secret alors qu'elle nous dédaigne et nous humilie. Quoi ! nous, nous, filles, épouses et mères des François, en formant leurs loix, ils ont, sans pudeur, assimilé aux hommes étrangers leurs compagnes, leurs mères et leurs filles ! La patrie vous rejette. C'est ce que n'entendront point nos femmes coupables ! Leur épargner ce châtiment, c'est punir, c'est flétrir en quelque sorte toutes les autres. Ce dédain est insultant, est odieux !

Au moment où l'on attribue à une femme étrangère une partie des fautes du gouvernement et des malheurs de la nation, il falloit manifester que le peuple François est dans les deux sexes également estimable.

Si tu manques de caractère, bientôt tu manqueras de vertu.

Nota. Dire cela à mes filles jusqu'à ce qu'elles en fassent une fréquente application.

Voici le tems où le courage des hommes doit ressembler au nôtre, devenir répulsif, comprimant et tranquille.

Nota. Un soldat-citoyen appartient à l'Etat. S'il se bat pour une cause particulière, il déserte son poste. La sentinelle en vedette est coupable d'accourir à la voix de son père, fût-il au milieu des flammes. Celui qui donneroit son sang à sa patrie, n'oseroit lui immoler un absurde et barbare préjugé ! N'oser dire ce que l'on sent sur cette matière, foibles que nous sommes ! Quoi ! ce que l'on nommoit honneur, n'est qu'un fantôme, et nous lui obéissons ! O vous, qui nous devez régir, venez à notre aide ; faites disparoître ces ombres errantes et trompeuses ; rassoyez nos esprits, commandez, contraignez ceux qui vous ont établis puissans, d'obéir à la puissance de la raison !

Il perd la vie, celui qui néglige l'emploi d'une demi-heure.

Nota. Bon pour mes fils et mes filles. L'*étude* pour une demi-heure, pour moins encore : multipliez ces fractions, et la somme des heures gagnées sera satisfaisante.

Collection Viollet

DÉCLARATION DES DROITS DE LA FEMME ET DE LA CITOYENNE

OLYMPE DE GOUGES * Septembre 1791

A LA REINE

Madame,

Peu faite au langage que l'on tient aux Rois, je n'emploierai point l'adulation des Courtisans pour vous faire hommage de cette singulière production. Mon but, Madame, est de vous parler franchement; je n'ai pas attendu, pour m'exprimer ainsi, l'époque de la Liberté : je me suis montrée avec la même énergie dans un temps où l'aveuglement des Despotes punissait une si noble audace.

Lorsque tout l'Empire vous accusait et vous rendait responsable de ses calamités, moi seule, dans un temps de trouble et d'orage, j'ai eu la force de prendre votre défense. Je n'ai jamais pu me persuader qu'une Princesse, élevée au sein des grandeurs, eût tous les vices de la bassesse.

---

* Voir note en fin de texte.

Oui, Madame, lorsque j'ai vu le glaive levé sur vous, j'ai jeté mes observations entre ce glaive et la victime; mais aujourd'hui que je vois qu'on observe de près la foule de mutins soudoyée, & qu'elle est retenue par la crainte des loix, je vous dirai, Madame, ce que je ne vous aurois pas dit alors.

Si l'étranger porte le fer en France, vous n'êtes plus à mes yeux cette Reine faussement inculpée, cette Reine intéressante, mais une implacable ennemie des Français. Ah ! Madame, songez que vous êtes mère et épouse; employez tout votre crédit pour le retour des Princes. Ce crédit, si sagement appliqué, raffermit la couronne du père, la conserve au fils, et vous réconcilie l'amour des Français. Cette digne négociation est le vrai devoir d'une Reine. L'intrigue, la cabale, les projets sanguinaires précipiteroient votre chute, si l'on pouvait vous soupçonner capable de semblables desseins.

Qu'un plus noble emploi, Madame, vous caractérise, excite votre ambition, et fixe vos regards. Il n'appartient qu'à celle que le hasard a élevée à une place éminente, de donner du poids à l'essor des Droits de la Femme, et d'en accélérer les succès. Si vous étiez moins instruite, Madame, je pourrais craindre que vos intérêts particuliers ne l'emportassent sur ceux de votre sexe. Vous aimez la gloire : songez, Madame, que les plus grands crimes s'immortalisent comme les plus grandes vertus; mais quelle différence de célébrité dans les fastes de l'histoire ! L'une est sans cesse prise pour exemple, et l'autre est éternellement l'exécration du genre humain.

On ne vous fera jamais un crime de travailler à la restauration des mœurs, à donner à votre sexe toute la consistance dont il est susceptible. Cet ouvrage n'est pas le travail d'un jour, malheureusement pour le nouveau régime. Cette révolution ne s'opérera que quand toutes les femmes seront pénétrées de leur déplorable sort, &

des droits qu'elles ont perdus dans la société. Soutenez, Madame, une si belle cause ; défendez ce sexe malheureux, et vous aurez bientôt pour vous une moitié du royaume, et le tiers au moins de l'autre.

Voilà, Madame, voilà par quels exploits vous devez vous signaler et employer votre crédit. Croyez-moi, Madame, notre vie est bien peu de chose, surtout pour une Reine, quand cette vie n'est pas embellie par l'amour des peuples, et par les charmes éternels de la bienfaisance.

S'il est vrai que des Français arment contre leur patrie toutes les puissances, pourquoi ? Pour de frivoles prérogatives, pour des chimères. Croyez, Madame, si j'en juge par ce que je sens, le parti monarchique se détruira de lui-même, qu'il abandonnera tous les tyrans, et tous les cœurs se rallieront autour de la patrie pour la défendre.

Voilà, Madame, voilà quels sont mes principes. En vous parlant de ma patrie, je perds de vue le but de cette dédicace. C'est ainsi que tout bon Citoyen sacrifie sa gloire, ses intérêts, quand il n'a pour objet que ceux de son pays.

Je suis avec le plus profond respect,

Madame,

Votre très-humble et très-
obéissante servante,
De Gouges

---

* Olympe de Gouges : Marie Gouze est née à Montauban, en 1748, dans une famille de bouchers. Elle se marie à seize ans. Elle monte à Paris vers 1780 et se met à écrire de nombreuses pièces de théâtre. Jusqu'à la fuite à Varennes, elle est monarchiste modérée, ensuite, républicaine.

Elle est guillotinée le 3 novembre 1793.

LES DROITS DE LA FEMME

Homme, es-tu capable d'être juste ? C'est une femme qui t'en fait la question ; tu ne lui ôteras pas du moins ce droit. Dis-moi ? Qui t'a donné le souverain empire d'opprimer mon sexe ? Ta force ? Tes talens ? Observe le Créateur dans sa sagesse ; parcours la nature dans toute sa grandeur, dont tu sembles vouloir te rapprocher, et donne-moi, si tu l'oses, l'exemple de cet empire tyrannique [1]. Remonte aux animaux, consulte les élémens, étudie les végétaux, jette enfin un coup-d'œil sur toutes les modifications de la matière organisée ; et rends-toi à l'évidence quand je t'en offre les moyens ; cherche, fouille et distingue, si tu le peux, les sexes dans l'administration de la nature. Par-tout tu les trouveras confondus, par-tout ils coopèrent avec un ensemble harmonieux à ce chef-d'œuvre immortel.

L'homme seul s'est fagoté un principe de cette exception. Bizarre, aveugle, boursouflé de sciences et dégénéré, dans ce siècle de lumières et de sagacité, dans l'ignorance la plus crasse, il veut commander en despote sur un sexe qui a reçu toutes les facultés intellectuelles ; il prétend jouir de la révolution, et réclamer ses droits à l'égalité, pour ne rien dire de plus.

---

1. *De Paris au Pérou, du Japon jusqu'à Rome,*
Le plus sot animal, à mon avis, c'est l'homme.

DÉCLARATION DES DROITS DE LA FEMME ET DE LA CITOYENNE

À décréter par l'Assemblée nationale dans ses dernières séances ou dans celle de la prochaine législature.

Préambule

Les mères, les filles, les sœurs, représentantes de la nation, demandent d'être constituées en assemblée nationale. Considérant que l'ignorance, l'oubli ou le mépris des droits de la femme, sont les seules causes des malheurs publics et de la corruption des gouvernemens, ont résolu d'exposer dans une déclaration solennelle, les droits naturels, inaliénables et sacrés de la femme, afin que cette déclaration, constamment présente à tous les membres du corps social, leur rappelle sans cesse leurs droits et leurs devoirs, afin que les actes du pouvoir des femmes et ceux du pouvoir des hommes, pouvant être à chaque instant comparés avec le but de toute institution politique, en soient plus respectés, afin que les réclamations des citoyennes, fondées désormais sur des principes simples et incontestables, tournent toujours au maintien de la constitution, des bonnes mœurs, et au bonheur de tous.

En conséquence, le sexe supérieur en beauté comme en courage, dans les souffrances maternelles, reconnaît et déclare, en présence et sous les auspices de l'Etre suprême, les Droits suivans de la Femme et de la Citoyenne :

Article premier

La Femme naît libre et demeure égale à l'homme en droits. Les distinctions sociales ne peuvent être fondées que sur l'utilité commune.

II

Le but de toute association politique est la conservation des droits naturels et imprescriptibles de la Femme et de l'Homme : ces droits sont la liberté, la propriété, la sûreté, et sur-tout la résistance à l'oppression.

III

Le principe de toute sainteté réside essentiellement dans la Nation, qui n'est que la réunion de la Femme et de l'Homme : nul corps, nul individu, ne peut exercer l'autorité qui n'en émane expressément.

IV

La liberté et la justice consistent à rendre tout ce qui appartient à autrui ; ainsi l'exercice des droits naturels de la femme n'a de bornes que la tyrannie perpétuelle que l'homme lui oppose ; ces bornes doivent être réformées par les loix de la nature et de la raison.

V

Les loix de la nature et de la raison défendent toutes actions nuisibles à la société : tout ce qui n'est pas défendu par ces loix, sages et divines, ne peut être empêché, et nul ne peut être contraint à faire ce qu'elles n'ordonnent pas.

VI

La loi doit être l'expression de la volonté générale ; toutes les Citoyennes et Citoyens doivent concourir personnellement, ou par leurs représentans, à sa formation ; elle doit être la même pour tous : toutes les citoyennes et tous les citoyens, étant égaux à ses yeux, doivent être également admissibles à toutes dignités, places et emplois publics, selon leurs capacités, & sans autres distinctions que celles de leurs vertus et de leurs talens.

VII

Nulle femme n'est exceptée ; elle est accusée, arrêtée & détenue dans les cas déterminés par la Loi. Les femmes obéissent comme les hommes à cette Loi rigoureuse.

VIII

La loi ne doit établir que des peines strictement & évidemment nécessaires, & nul ne peut être puni qu'en vertu d'une Loi établie et promulguée antérieurement au délit et légalement appliquée aux femmes.

IX

Toute femme étant déclarée coupable, toute rigueur est exercée par la Loi.

X

Nul ne doit être inquiété pour ses opinions même fondamentales, la femme a le droit de monter sur l'échafaud ; elle doit avoir également celui de monter à la Tribune ; pourvu que ses manifestations ne troublent pas l'ordre public établi par la Loi.

XI

La libre communication des pensées et des opinions est un des droits les plus précieux de la femme, puisque cette liberté assure la légitimité des pères envers les enfans. Toute citoyenne peut donc dire librement, je suis la mère d'un enfant qui vous appartient, sans qu'un préjugé barbare la force à dissimuler la vérité ; sauf à répondre à l'abus de cette liberté dans les cas déterminés par la Loi.

XII

La garantie des droits de la femme et de la citoyenne nécessite une utilité majeure ; cette garantie doit être instituée pour l'avantage de tous, & non pour l'utilité particulière de celles à qui elle est confiée.

XIII

Pour l'entretien de la force publique, & pour les dépenses d'administration, les contributions de la femme et de l'homme sont égales ; elle a part à toutes les corvées, à toutes les tâches pénibles ; elle doit donc avoir de même part à la distribution des places, des emplois, des charges, des dignités et de l'industrie.

XIV

Les Citoyennes et Citoyens ont le droit de constater par eux-mêmes, ou par leurs représentans, la nécessité de la contribution publique. Les Citoyennes ne peuvent y adhérer que par l'admission d'un partage égal, non-seulement dans la fortune, mais encore dans l'administration publique, et de déterminer la quotité, l'assiette, le recouvrement et la durée de l'impôt.

XV

La masse des femmes, coalisée pour la contribution à celle des hommes, a le droit de demander compte, à tout agent public, de son administration.

XVI

Toute société, dans laquelle la garantie des droits n'est pas assurée, ni la séparation des pouvoirs déterminée, n'a point de constitution ; la constitution est nulle, si la majorité des individus qui composent la Nation, n'a pas coopéré à sa rédaction.

XVII

Les propriétés sont à tous les sexes réunis ou séparés ; elle ont pour chacun un droit inviolable et sacré ; nul ne peut en être privé comme vrai patrimoine de la nature, si ce n'est lorsque la nécessité publique, légalement constatée, l'exige évidemment, et sous la condition d'une juste et préalable indemnité.

Postambule

Femme, réveille-toi ; le tocsin de la raison se fait entendre dans tout l'univers ; reconnois tes droits. Le puissant empire de la nature n'est plus environné de préjugés, de fanatisme, de superstition et de mensonges. Le flambeau de la vérité a dissipé tous les nuages de la sottise et de l'usurpation. L'homme esclave a multiplié ses forces, a eu besoin de recourir aux tiennes pour briser ses fers. Devenu libre, il est devenu injuste envers sa compagne. O femmes ! Femmes, quand cesserez-vous d'être aveugles ? Quels sont les avantages que vous avez recueillis dans la révolution ? Un mépris plus marqué, un dédain plus signalé. Dans les siècles de corruption vous n'avez régné que sur la foiblesse des hommes. Votre empire est détruit ; que vous reste-t-il donc ? La conviction des injustices de l'homme. La réclamation de votre patrimoine, fondée sur les sages décrets de la nature ; qu'auriez-vous à redouter pour une si belle entreprise ? Le bon mot du Législateur des noces de Cana ? Craignez-vous que nos Législateurs Français, correcteurs de cette morale, long-temps accrochée aux branches de la politique, mais qui n'est plus de saison, ne vous répètent : femmes, qu'y a-t-il de commun entre vous et nous ? Tout, auriez-vous à répondre. S'ils s'obstinoient, dans leur faiblesse, à mettre cette inconséquence en contradiction avec leurs principes, opposez courageusement la force de la raison aux vaines prétentions de supériorité ; réunissez-vous sous les étendards de la philosophie ; déployez toute l'énergie de votre caractère, et vous verrez bientôt ces orgueilleux, non plus serviles adorateurs rampans à vos pieds, mais fiers de partager avec vous les trésors de l'Être Suprême. Quelles que soient les barrières que l'on vous oppose, il est en votre pouvoir de les affranchir ; vous n'avez qu'à le vouloir. Passons maintenant à l'effroyable tableau de ce que vous avez été dans la société ; & puisqu'il est question, en ce moment, d'une éducation nationale, voyons si nos sages Législateurs penseront sainement sur l'éducation des femmes.

Les femmes ont fait plus de mal que de bien. La contrainte et la dissimulation ont été leur partage. Ce que la force leur avoit ravi, la ruse leur a rendu ; elles ont eu recours à toutes les ressources de leurs charmes, et le plus irréprochable ne leur résistoit pas. Le poison, le fer, tout leur étoit soumis ; elles commandoient au crime comme à la vertu. Le gouvernement françois, surtout, a dépendu, pendant des siècles, de l'administration nocturne des femmes ; le cabinet n'avoit point de secret pour leur indiscrétion ; ambassade, commandement, ministère, présidence, pontificat[1], cardinalat ; enfin tout ce qui caractérise la sottise des hommes, profane et sacré, tout a été soumis à la cupidité et à l'ambition de ce sexe autrefois méprisable et respecté, et depuis la révolution, respectable et méprisé.

Dans cette sorte d'antithèse, que de remarques n'ai-je point à offrir ! Je n'ai qu'un moment pour les faire, mais

1. M. de Bernis, de la façon de Mme de Pompadour.

ce moment aura l'attention de la postérité la plus reculée. Sous l'Ancien Régime, tout étoit vicieux, tout étoit coupable ; mais ne pourroit-on y apercevoir l'amélioration des choses dans la substance même des vices ? Une femme n'avoit soin que d'être belle ou aimable ; quand elle possédoit ces deux avantages, elle voyoit cent fortunes à ses pieds. Si elle n'en profitoit pas, elle avoit un caractère bizarre, ou une philosophie peu commune, qui la portoit au mépris des richesses ; alors elle n'étoit plus considérée que comme une mauvaise tête ; la plus indécente se faisoit respecter avec de l'or ; le commerce des femmes étoit une espèce d'industrie reçue dans la première classe, qui, désormais, n'aura plus de crédit. S'il en avoit encore, la révolution seroit perdue, et sous de nouveaux rapports, nous serions toujours corrompus ; cependant la raison peut-elle se dissimuler que tout autre chemin à la fortune est fermé à la femme que l'homme achète, comme l'esclave sur les côtes d'Afrique. La différence est grande ; on le sait. L'esclave commande au maître ; mais si le maître lui donne la liberté sans récompense, et à un âge où l'esclave a perdu tous ses charmes, que devient cette infortunée ? Le jouet du mépris ; les portes mêmes de la bienfaisance lui sont fermées ; elle est pauvre et vieille, dit-on ; pourquoi n'a-t-elle pas su faire fortune ? D'autres exemples encore plus touchans s'offrent à la raison. Une jeune personne sans expérience, séduite par un homme qu'elle aime, abandonnera ses parens pour le suivre ; l'ingrat la laissera après quelques années, et plus elle aura vieilli avec lui, plus son inconstance sera inhumaine ; si elle a des enfans, il l'abandonnera de même. S'il est riche, il se croira dispensé de partager sa fortune avec ses nobles victimes. Si quelqu'engagement le lie à ses devoirs, il en violera la puissance en espérant tout des lois. S'il est marié, tout autre engagement perd ses droits. Quelles lois reste-t-il à faire pour extirper le vice jusque dans la racine ? Celle du partage des fortunes entre les hommes et les femmes, et de l'administration publique. On conçoit aisément que celle qui est née d'une famille riche, gagne beaucoup avec l'égalité des partages. Mais celle qui est née d'une famille pauvre, avec du mérite et des vertus ; quel est son lot ? la pauvreté et l'opprobre. Si elle n'excelle pas précisément en musique ni en peinture, elle ne peut être admise à aucune fonction publique, quand elle en auroit toute la capacité. Je ne veux donner qu'un aperçu des choses, je les approfondirai dans une nouvelle édition de tous mes ouvrages politiques que je me propose de donner au public dans quelques jours, avec des notes.

Je reprends mon texte quant aux mœurs. Le mariage est le tombeau de la confiance & de l'amour. La femme mariée peut impunément donner des bâtards à son mari, et la fortune qui ne leur appartient pas. Celle qui ne l'est pas, n'a qu'un foible droit : les lois anciennes et inhumaines lui refusoient ce droit sur le nom & sur le bien de leur père, pour ses enfans, et on n'a pas fait de nouvelles lois sur cette matière. Si tenter de donner à mon sexe une consistance honorable et juste, est considéré dans ce moment comme un paradoxe de ma part, et comme tenter l'impossible, je laisse aux hommes à venir la gloire de traiter cette matière ; mais, en attendant, on peut la préparer par l'éducation nationale, par la restauration des mœurs et par les conventions conjugales.

Forme du Contrat social de l'Homme et de la Femme

Nous *N* et *N*, mus par notre propre volonté, nous unissons pour le terme de notre vie, et pour la durée de nos penchans mutuels, aux conditions suivantes : Nous entendons & voulons mettre nos fortunes en communauté, en nous réservant cependant le droit de les séparer en faveur de nos enfans, et de ceux que nous pourrions avoir d'une inclination particulière, reconnoissant mutuellement que notre bien appartient directement à nos enfans, de quelque lit qu'ils sortent, et que tous indistinctement ont le droit de porter le nom des pères et mères qui les ont avoués, et nous imposons de souscrire à la loi qui punit l'abnégation de son propre sang. Nous nous obligeons également, au cas de séparation, de faire le partage de notre fortune, et de prélever la portion de nos enfans indiquée par la loi ; et, au cas d'union parfaite, celui qui viendroit à mourir, se désisterait de la moitié de ses propriétés en faveur de ses enfans ; et si l'un mouroit sans enfans, le survivant hériteroit de droit, à moins que le mourant n'ait disposé de la moitié du bien commun en faveur de qui il jugeroit à propos.

Voilà à-peu-près la formule de l'acte conjugal dont je propose l'exécution. A la lecture de ce bizarre écrit, je vois s'élever contre moi les tartuffes, les bégueules, le clergé et la toute séquelle infernale. Mais combien il offrira aux sages de moyens moraux pour arriver à la perfectibilité d'un gouvernement heureux ! j'en vais donner en peu de mots la preuve physique. Le riche Epicurien sans enfans, trouve fort bon d'aller chez son voisin pauvre augmenter sa famille. Lorsqu'il y aura une loi qui autorisera la femme du pauvre à faire adopter au riche ses enfans, les liens de la société seront plus resserrés, et les mœurs plus épurées. Cette loi conservera peut-être le bien de la communauté, et retiendra le désordre qui conduit tant de victimes dans les hospices de l'opprobre, de la bassesse et de la dégénération des principes humains où, depuis long-tems, gémit la nature. Que les détracteurs de la saine philosophie cessent donc de se récrier contre les mœurs primitives, ou qu'ils aillent se perdre dans la source de leurs citations[1].

Je voudrois encore une loi qui avantageât les veuves et les demoiselles trompées par les fausses promesses d'un homme à qui elles se seroient attachées; je voudrois dis-je, que cette loi forçât un inconstant à tenir ses engagemens, ou à une indemnité proportionnée à la fortune. Je voudrois encore que cette loi fût rigoureuse contre les femmes, du moins pour celles qui auroient le front de recourir à une loi qu'elles auroient elles-mêmes enfreinte par leur inconduite, si la preuve en étoit faite. Je voudrois, en même tems, comme je l'ai exposé dans le bonheur primitif de l'homme, en 1788, que les filles publiques fussent placées dans des quartiers désignés. Ce ne sont pas les femmes publiques qui contribuent le plus à la dépravation des mœurs, ce sont les femmes de la société. En restaurant les dernières, on modifie les premières. Cette chaîne d'union fraternelle offrira d'abord le désordre, mais par les suites, elle produira à la fin un ensemble parfait.

J'offre un moyen invincible pour élever l'âme des femmes; c'est de les joindre à tous les exercices de l'homme : si l'homme s'obstine à trouver ce moyen impraticable, qu'il partage sa fortune avec la femme, non à son caprice, mais par la sagesse des lois. Le préjugé tombe, les mœurs s'épurent, et la nature reprend tous ses droits. Ajoutez-y le mariage des prêtres; le Roi, raffermi sur son trône, et le gouvernement françois ne sauroient plus périr.

1. Abraham eut des enfans très-légitimes d'Agar, servante de sa femme.

Il étoit bien nécessaire que je dise quelques mots sur les troubles que cause, dit-on, le décret en faveur des hommes de couleur, dans nos îles. C'est là où la nature frémit d'horreur; c'est là où la raison et l'humanité, n'ont pas encore touché les âmes endurcies; c'est là sur-tout où la division et la discorde agitent leurs habitans. Il n'est pas difficile de deviner les instigateurs de ces fermentations incendiaires : il y en a dans le sein même de l'Assemblée Nationale : ils allument en Europe le feu qui doit embraser l'Amérique. Les Colons prétendent régner en despotes sur des hommes dont ils sont les pères et les frères; et méconnoissant les droits de la nature, ils en poursuivent la source jusque dans la plus petite teinte de leur sang. Ces Colons inhumains disent : notre sang circule dans leurs veines, mais nous le répandrons tout, s'il le faut, pour assouvir notre cupidité, ou notre aveugle ambition. C'est dans ces lieux les plus près de la nature, que le père méconnoît le fils; sourd aux cris du sang, il en étouffe tous les charmes; que peut-on espérer de la résistance qu'on lui oppose ? La contraindre avec violence, c'est la rendre terrible, la laisser encore dans les fers, c'est acheminer toutes les calamités vers l'Amérique. Une main divine semble répandre par tout l'apanage de l'homme, *la liberté;* la loi seule a le droit de réprimer cette liberté, si elle dégénère en licence; mais elle doit être égale pour tous, c'est elle sur-tout qui doit renfermer l'Assemblée Nationale dans son décret, dicté par la prudence et par la justice. Puisse-t-elle agir de même pour l'état de la France, et se rendre aussi attentive sur les nouveaux abus, comme elle l'a été sur les anciens qui deviennent chaque jour plus effroyables ! Mon opinion seroit encore de raccommoder le pouvoir exécutif avec le pouvoir législatif, car il me semble que l'un est tout, et que l'autre n'est rien; d'où naîtra, malheureusement peut-être, la perte de l'Empire François. Je considére ces deux pouvoirs, comme l'homme et la femme[1] qui doivent être unis, mais égaux en force et en vertu, pour faire un bon ménage.

Il est donc vrai que nul individu ne peut échapper à son sort; j'en fais l'expérience aujourd'hui.

J'avois résolu & décidé de ne pas me permettre le plus petit mot pour rire dans cette production, mais le sort en a décidé autrement : voici le fait :

L'économie n'est point défendue, sur-tout dans ce tems de misère. J'habite la campagne. Ce matin à huit heures je suis partie d'Auteuil, & me suis acheminée vers la route qui conduit de Paris à Versailles, où l'on trouve souvent ces fameuses guinguettes qui ramassent les passans à peu de frais. Sans doute une mauvaise étoile me poursuivoit dès le matin. J'arrive à la barrière et je ne trouve pas même le triste sapin aristocrate. Je me repose sur les marches de cet édifice insolent qui receloit des commis. Neuf heures sonnent, & je continue mon chemin : une voiture s'offre à mes regads, j'y prends place, et j'arrive à neuf heures un quart, au Pont-Royal. J'y prends le train, & je vole chez mon Imprimeur, rue Christine, car je ne peux aller que là si matin : en corrigeant mes épreuves, il me reste toujours quelque chose à faire, si les pages ne sont pas bien serrées & remplies. Je reste à-peu-près vingt minutes; & fatiguée de marche, de composition & d'impression, je me propose d'aller prendre un bain dans le quartier du Temple, où j'allois dîner. J'arrive à onze heures moins un quart à la pendule du bain; je devois donc au cocher une heure & demie; mais, pour ne pas

1. Dans le souper magique de M. de Nerville, Ninon demande quelle est la maîtresse de Louis XVI ? On lui répond, c'est la Nation, cette maîtresse corrompra le gouvernement si elle prend trop d'empire.

avoir de dispute avec lui, je lui offre 48 sols : il exige plus, comme d'ordinaire, il fait du bruit. Je m'obstine à ne vouloir plus lui donner que son dû, car l'être équitable aime mieux être généreux que dupe. Je le menace de la loi, il me dit qu'il s'en moque, & que je lui payerai deux heures. Nous arrivons chez un commissaire de paix, que j'ai la générosité de ne pas nommer, quoique l'acte d'autorité qu'il s'est permis envers moi, mérite une dénonciation formelle. Il ignoroit sans doute que la femme qui réclamoit sa justice étoit la femme auteur de tant de bienfaisance & d'équité. Sans avoir égard à mes raisons, il me condamne impitoyablement à payer au cocher ce qu'il demandoit. Connoissant mieux la loi que lui, je lui dis, Monsieur, je m'y refuse, & je vous prie de faire attention que vous n'êtes pas dans le principe de votre charge. Alors cet homme, ou, pour mieux dire, ce forcené s'emporte, me menace de la Force si je ne paye à l'instant, ou de rester toute la journée dans son bureau. Je lui demande de me faire conduire au tribunal de département ou à la mairie, ayant à me plaindre de son coup d'autorité. Le grave magistrat, en redingote poudreuse & dégoûtante comme sa conversation, m'a dit plaisamment : cette affaire ira sans doute à l'Assemblée Nationale ? Cela se pourroit bien, lui dis-je ; & je m'en fus moitié furieure & moitié riant du jugement de ce moderne Bride-Oison, en disant : c'est donc là l'espèce d'homme qui doit juger un peuple éclairé ! On ne voit que cela. Semblables aventures arrivent indistinctement aux bons patriotes, comme aux mauvais. Il n'y a qu'un cri sur les désordres des sections & des tribunaux. La justice ne se rend pas ; la loi est méconnue, & la police se fait, Dieu sait comment. On ne peut plus retrouver les cochers à qui l'on confie des effets ; ils changent les numéros à leur fantaisie, & plusieurs personnes, ainsi que moi, ont fait des pertes considérables dans les voitures. Sous l'Ancien Régime, quel que fût son brigandage, on trouvoit la trace de ses pertes, en faisant un appel nominal des cochers, & par l'inspection exacte des numéros ; enfin on étoit en sûreté. Que font ces juges de paix ? que font ces commissaires, ces inspecteurs du nouveau régime ? Rien que des sottises et des monopoles. L'Assemblée Nationale doit fixer toute son attention sur cette partie qui embrasse l'ordre social.

P.-S. Cet ouvrage étoit composé depuis quelques jours ; il a été retardé encore à l'impression ; et au moment que M. Talleyrand, dont le nom sera toujours cher à la postérité, venoit de donner son ouvrage sur les principes de l'éducation nationale, cette production étoit déjà sous la presse. Heureuse si je me suis rencontrée avec les vues de cet orateur ! Cependant je ne puis m'empêcher d'arrêter la presse, et de faire éclater la pure joie que mon cœur a ressentie à la nouvelle que le Roi venoit d'accepter la Constitution et que l'Assemblée nationale, que j'adore actuellement, sans excepter l'abbé Maury, et La Fayette qui est un dieu, avoit proclamé d'une voix unanime une amnistie générale. Providence divine, fais que cette joie publique ne soit pas une fausse illusion ! Renvoie-nous, en corps, tous nos fugitifs, et que je puisse avec un peuple aimant, voler sur leur passage ; et dans ce jour solennel, nous rendrons tous hommage à ta puissance.

Collection Viollet

IV
PRENDRE LES ARMES

LE PATRIOTISME
DES
DAMES CITOYENNES.

Diſcours prononcé à la Tribune de l'Aſſemblée Patriotique, par Mlle. Marie Martin le 7me. Novembre de l'an ſecond de la Liberté.

MESSIEURS,

Nous inviter à venir dans cette reſpectable aſſemblée pour être témoins des ſages délibérations que vous y prenez, c'eſt bien nous récompenſer du zèle qui nous anime pour la patrie. C'eſt chez vous que nous aimons à venir puiſer comme dans la ſource cet enthouſiaſme patriotique que nous inſpirent vos travaux glorieux & votre inébranlable fermeté, pour le maintien des Décrets de notre auguſte Aſſemblée Nationale. C'eſt dans ce temple de la Liberté que nous apprenons à ſentir de plus en plus l'inappréciable bienfait de notre ſalutaire révolution.

Oui, MESSIEURS, c'eſt ici où, ſemblables à ces veſtales de l'antique Rome, vouées à l'entretien du

LE PATRIOTISME DES DAMES CITOYENNES

PAR MARIE MARTIN　　　　7 Novembre 1790

Discours prononcé à la Tribune
de l'Assemblée Patriotique,
par Mlle. Marie Martin
le 7me Novembre de l'an second de la Liberté.

Messieurs,

Nous inviter à venir dans cette respectable assemblée pour être témoins des sages délibérations que vous y prenez, c'est bien nous récompenser du zèle qui nous anime pour la patrie. C'est chez vous que nous aimons à venir puiser comme dans la source cet enthousiasme patriotique que nous inspirent vos travaux glorieux & votre inébranlable fermeté, pour le maintien des Décrets de notre auguste Assemblée Nationale. C'est dans ce temple de la Liberté que nous apprenons à sentir de plus en plus l'inappréciable bienfait de notre salutaire révolution.

Oui, Messieurs, c'est ici où, semblables à ces vestales

de l'antique Rome, vouées à l'entretien du feu sacré qui ne s'éteignoit qu'aux dépens de leur vie ; c'est ici, dis-je, où nous venons alimenter celui qui nous embrase de l'amour du plus pur patriotisme. A l'exemple de ces vertueuses filles qui s'épuroient en s'approchant de la Déesse qu'elles servoient ; nous venons, dans ce temple de la patrie, vivifier d'une flamme plus lumineuse ce feu sacré dont nous sommes embrasées pour le bonheur & la prospérité de l'Empire Français. Ah ! Messieurs, qu'heureuses sont celles d'entre nous qui, de retour dans leurs maisons, pourront dire à leurs enfans, allez dans cette assemblée puiser la paix & l'union, la fraternité & cette mâle ardeur, qui les porte à défendre notre liberté au péril de leur vie. Heureuses sont celles qui, donnant des enfans à la patrie, & serrant dans leurs bras ces tendres fruits d'un amour conjugal, leur feront sucer avec le lait, ces grands principes d'égalité, cet amour ardent pour la patrie, pour la liberté, & cet attachement inviolable à la Constitution.

Je dois vous parler aussi, Messieurs, de celles qui, comme moi, ne sont point encore engagées dans les liens du mariage. Ah ! croyez-le, quelque brillant que fût l'établissement qui leur seroit proposé, quelque séduisante que fût la perspective d'un avenir heureux, celles qui ont juré sur l'autel de la liberté de la maintenir de tout leur pouvoir, ne donneront jamais leur main qu'à ceux dont les vertus civiques seront reconnues, & qui professeront les principes glorieux que tout bon patriote doit avoir dans son cœur. Je crois pouvoir le jurer au nom de toutes mes Compagnes ; oui Messieurs, aucun ne doit aspirer à s'unir à nous, s'il n'est un des fermes soutiens de notre liberté naissante.

Semblables à ces femmes fortes qui ont paru quelquefois, quand les ennemis du bien public menaceront notre patrie, nous ne connoîtrons que le danger commun, nous serons les premières à armer nos époux en présence de l'ennemi, nous les animerons, nous les exciterons à la victoire & au triomphe par tout ce que le patriotisme pourra nous inspirer. Heureuses & mille fois heureuses, si nous les voyions retourner couverts des dépouilles des méchants, se jeter dans nos bras, & recevoir le tribut d'éloges qu'ils auront mérités. Et celles dont les époux succomberont dans le combat, regretteront moins leur perte personnelle que celle que la Patrie aura faite.

Voilà, Messieurs, les sentimens qui nous animent, & dans lesquels nous voulons vivre & mourir.

Marie Martin

DÉNONCIATION
DU Sr. ANDRÉ,
PAR
LES DAMES CITOYENNES
DE LA SECTION
DE St. MARTIN No. 7.

LEs Dames Citoyennes du Bataillon No. 7, assemblées avec l'agrément de MM. le Maire & Officiers-Municipaux, dans la Chapelle des Pénitents Bleus de St. Martin.

Madame la Présidente a ouvert la Séance, & une Dame ayant demandé la parole, a dit :

CITOYENNES,

Les tentatives criminelles des ennemis du bien public ont dû allarmer dans un temps votre patriotisme ; mais graces à la sollicitude paternelle de notre Municipalité, à la conduite ferme & louable du Conseil-général de la Commune, aux

A

DÉNONCIATION DU SR. ANDRÉ PAR LES DAMES CITOYENNES DE LA SECTION DE SAINT MARTIN

COLLECTIF — Fin 1791 ?

Marseille

Les Dames Citoyennes du Bataillon N° 7, assemblées avec l'agrément de MM. le Maire & Officiers-Municipaux, dans la Chapelle des Pénitents Bleus de St. Martin.

Madame la Présidente a ouvert la Séance, & une Dame ayant demandé la parole, a dit :

Citoyennes,

Les tentatives criminelles des ennemis du bien public ont dû alarmer dans un temps votre patriotisme ; mais grâce à la sollicitude paternelle de notre Municipalité, à la conduite ferme & louable du Conseil-Général de la Commune, aux sages Délibérations unanimes de nos Sections, enfin à l'œil vigilant des Amis de la Constitution, leurs efforts ont été vains & le calme règne aujourd'hui dans notre Cité.

Le serment solennel que nous avons fait sur l'Autel de la Patrie d'être fidèles à la Nation, à la Loi & au Roi, nous impose l'obligation de faire entendre encore notre voix. Eh ! quoi ! lorsque le sieur André, implacable ennemi de notre Ville, exhale avec autant d'acharnement le poison de la calomnie, contre la généralité des Citoyens ; lorsqu'il se montre l'insolent protecteur de ces assemblées scandaleuses de séditieux ; quand il s'efforce de troubler derechef cette paix profonde que nous a procurée l'expulsion légale de l'Ex-Commandant son ami, devenu par sa coupable conduite, justement suspect aux bons Citoyens ; verrions-nous d'un œil indifférent ces manœuvres odieuses ? Eh ! quand nous voyons nos Pères, nos Epoux, nos Frères, nos Enfans, occupés sans relâche du soin de déjouer les complots multipliés des méchans, d'étouffer le germe naissant des maux qui nous menaçoient, de hâter la marche de notre salutaire révolution, ne déroberions-nous pas quelques instants aux occupations de nos ménages pour exprimer notre vœu, pour partager & leurs craintes & leurs triomphes ? Notre bonheur ou notre malheur, n'est-il pas essentiellement lié à leur sort ?

Ce n'étoit pas assez pour le sieur André, digne agent d'un Ministère despote qui l'avoit jeté dans nos murs en qualité de Commissaire du Roi, d'être venu, sous le masque de la popularité, sous la feinte spécieuse de médiateur envoyé par l'Auguste Assemblée Nationale. Ce n'étoit pas assez d'avoir par une perfide complicité, favorisé les conspirations des Bournissac, des Caraman, & de cette horde Aristocratique qui a voulu récemment sous ses auspices, reprendre de nouvelles forces. Ce n'étoit pas assez d'avoir voulu faire de notre Cité, le réceptacle dangereux des transfuges qui cherchoient à s'abreuver du sang du peuple Français. Ce n'étoit pas assez enfin qu'il eût ainsi traîtreusement rempli sa mission couronnée encore par l'inscription civique qu'il obtint de quelques lâches adulateurs échappés heureusement de nos murs, il porte dans la Capitale & au milieu de nos Augustes Représentans, un cœur pétri de fiel.

Marseille soutient-elle cet amour ardent de la Liberté, cette hardiesse admirable qui fait trembler les tyrans, cet intrépide courage dont elle a donné le premier exemple dès le principe de la Révolution, éclate-t-elle par des actions héroïques qui étonnent l'un & l'autre hémisphère, & que les fastes de l'histoire feront passer à la postérité en caractères ineffaçables, porte-t-elle les plus grands coups au despotisme ourdissant sans cesse de nouvelles trames ? Le perfide André, armé de tous les poignards de la calomnie, fait retentir la Tribune Française de l'atrocité de ses impostures, il ne peint la généralité des Citoyens, les Sections, les Municipaux, que comme des rebelles, des prévaricateurs, des brigands ; il invoque contre nous tous les foudres de la Nation, contre un peuple le plus fidèle de l'Empire, idolâtre de la Constitution, prêt à verser son sang pour la maintenir : Oui, chères Citoyennes, il le versera ce sang, si les méchans veulent encore tenter d'ébranler l'édifice sublime qui s'est élevé ; nous encouragerons nos propres enfans, & sacrifiant toutes les liaisons de la nature, à l'amour de la patrie, semblables à cette illustre Lacédémonienne, à qui l'on vint annoncer la mort de son fils dans le combat, nous dirons sans foiblesse, *je ne l'avois engendré que pour ne pas balancer de mourir pour sa Patrie.* Ah ! s'il le faut, nous mourrons nous-mêmes pour la défense de ces décrets immortels.

Le calomniateur André pousse la noirceur encore plus loin : une bande de séditieux, de contre-révolutionnaires, assurés de son appui, osent s'élever avec un front audacieux, contre l'ouvrage du Conseil-général de la Commune & des Sections dans l'excès de leur délire ! ils font passer à l'auguste Diète, les coupables productions de leur extravagance, le perfide André accueille avec complaisance les vils émissaires de ces assemblées, il dénonce, il inculpe indignement notre Cité, il cherche, mais en vain, à surprendre la religion de nos sages Législateurs, & pour comble de méchanceté, non-seulement, il a l'audace d'outrager par une Lettre, notre digne Maire, & un de nos plus estimables Officiers-municipaux, mais encore de donner dans le même temps & par la voie de l'impression la publicité à ses impostures, de violer ainsi le sceau de la correspondance. Ici, fidèles Concitoyennes, je ne puis retenir les mouvemens de la plus juste indignation, & vous partagez sans doute avec moi la douleur de voir affliger le respectable Chef de notre Municipalité, qui par sa sagesse prévoyante, par ses soins infatigables, par sa fermeté inébranlable au timon de l'Administration, a acquis des droits si légitimes à notre estime & à notre amour. Mon cœur se soulève à ce trait de perfidie, & le silence sur un délit si authentique, seroit à mes yeux une lâcheté indigne des Marseillaises-Patriotes, héritières de l'héroïsme de leurs ancêtres. Que les impulsions magnanimes du patriotisme l'emportent donc sur la foiblesse naturelle qu'on reproche à notre sexe ; dénonçons avec un mâle courage, les ennemis déclarés de la Constitution ; qu'ils soient voués à la haine publique, & que le digne protecteur de cette horde de conspirateurs, soit déclaré infâme calomniateur, & traître à la Patrie.

Les Dames Citoyennes de St. Martin, applaudissant unanimement à la motion ci-dessus énoncée, & qui n'est que l'expression la plus fidèle des sentiments patriotiques dont elles sont animées ; ont délibéré de l'adopter dans tout son contenu, & d'en envoyer Extrait à la Municipalité, comme une addition des plaintes, dénonciations & accusations du Conseil-général de la Commune, & des Sections, contre le sieur André, ennemi déclaré de notre Cité, avec prière à MM. les Maire &

Officiers-Municipaux, de prendre ladite Délibération en considération, & de la faire parvenir à l'Assemblée Nationale.

Et ont signé : Louise-Françoise Raimbaud, Présidente. Marie-Jeanne Boude, Secrétaire.

DISCOURS A LA SOCIÉTÉ FRATERNELLE DES MINIMES

PAR THÉROIGNE DE MÉRICOURT*

25 Mars 1792

Discours prononcé à la Société Fraternelle des Minimes, le 25 mars 1792, l'an quatrième de la liberté, par Mlle Théroigne, en présentant un drapeau aux citoyennes du Faubourg St Antoine.

Citoyennes,

Quoique nous ayons remporté des victoires, qu'un Tyran soit mort, qu'un Ministre prévaricateur soit accusé de haute trahison, & que l'Assemblée Nationale montre une énergie qui ranime l'espérance des Amis de la Patrie, nous sommes cependant toujours en danger. Sans entrer à cet égard dans des détails qui vous sont connus, je vous répéterai seulement ce que je crois ne pouvoir être trop rappelé à votre souvenir, afin de vous inviter à réfléchir sérieusement sur notre situation; à ne pas perdre de vue que les torches de la guerre civile sont

* Voir note en fin de texte.

prêtes à s'allumer; que l'étendard de la contre-révolution est arboré dans plusieurs parties de l'Empire; qu'il est visible que par-tout, mais particulièrement dans Paris, des scélérats soudoyés ont un plan de division intestine qu'ils suivent avec la plus grande activité, afin de préparer des partis qui seront toujours funestes à la liberté, si votre vigilance ne déjoue les trames criminelles ourdies par nos ennemis.

Citoyennes, n'oublions pas que nous nous devons tout entières à la Patrie; qu'il est de notre devoir le plus sacré de resserrer entre nous les liens de l'union, de la confraternité; & de répandre les principes d'une énergie calme, afin de nous préparer avec autant de sagesse que de courage à repousser les attaques de nos ennemis.

Citoyennes, nous pouvons, par un généreux dévouement, rompre le fil de ces intrigues. Armons-nous; nous en avons le droit par la nature & même par la loi; montrons aux hommes que nous ne leur sommes inférieures ni en vertus, ni en courage; montrons à l'Europe que les Françoises connoissent leurs droits, & sont à la hauteur des lumières du dix-huitième siècle; en méprisant les préjugés, qui par cela seul qu'ils sont préjugés, sont absurdes, souvent immoraux, en ce qu'ils nous font un crime des vertus.

Les tentatives que le pouvoir exécutif pourra faire par la suite pour regagner la confiance publique, ne seront que des pièges dont nous devons nous défier : tant que nos mœurs ne seront pas d'accord avec nos lois, il ne perdra pas l'espérance de profiter de nos vices pour nous remettre dans les fers. Il est tout simple, & vous devez même vous y attendre, on va mettre en avant les aboyeurs, les folliculaires soudoyés, pour essayer de nous retenir, en employant les armes du ridicule, de la calomnie, & tous les moyens bas que mettent ordinairement en usage les hommes vils pour étouffer les élans du patriotisme dans les âmes foibles. Mais, Françoises, actuellement que les progrès des lumières vous invitent à réfléchir, comparez ce que nous sommes avec ce que nous devrions être dans l'ordre social. Pour connoître nos droits & nos devoirs, il faut prendre pour arbitre la raison, & guidées par elle, nous distinguerons le juste de l'injuste. Quel seroit donc la considération qui pourroit nous retenir, nous empêcher de faire le bien lorsqu'il est évident que nous le pouvons & que nous le devons ? Nous nous armerons, parce qu'il est raisonnable que nous nous préparions à défendre nos droits, nos foyers, & que nous serions injustes à notre égard & responsables à la Patrie, si la pusillanimité que nous avons contractée dans l'esclavage avait encore assez d'empire pour nous empêcher de doubler nos forces. Sous tous les rapports, vous ne pouvez douter que l'exemple de notre dévouement ne réveille dans l'âme des hommes les vertus publiques, les passions dévorantes de l'amour de la gloire & de la Patrie. Nous maintiendrons ainsi la liberté par l'émulation & la perfection sociale résultante de cet heureux concours.

Françoises, je vous le répète encore, élevons-nous à la hauteur de nos destinées ; brisons nos fers ; il est temps enfin que les Femmes sortent de leur honteuse nullité, où l'ignorance, l'orgueil, & l'injustice des hommes les tiennent asservies depuis si longtemps ; replaçons-nous au temps où nos Mères, les Gauloises & les fières Germaines, délibéroient dans les Assemblées publiques, combattoient à côté de leurs Epoux pour repousser les ennemis de la Liberté. Françoises, le même sang coule toujours dans nos veines ; ce que nous avons fait à Beauvais, à Versailles, les 5 & 6 octobre, & dans plusieurs autres circonstances importantes & décisives, prouve que nous ne sommes pas étrangères aux sentimens magnanimes. Reprenons donc notre énergie ; car si nous voulons conserver notre Liberté, il faut que nous nous préparions à faire les choses les plus sublimes. Dans le moment actuel, à cause de la corruption des mœurs, elles nous paroîtront extraordinaires, peut-être même impossibles; mais bientôt par l'effet des progrès de l'esprit public & des lumières, elles ne seront plus pour nous que simples & faciles.

Citoyennes, pourquoi n'entrerions-nous pas en concurrence avec les hommes. Prétendent-ils eux seuls avoir des droits à la gloire; non, non... Et nous aussi nous voulons mériter une couronne civique, & briguer l'honneur de mourir pour une liberté qui nous est peut-être plus chère qu'à eux, puisque les effets du despotisme s'appesantissoient encore plus durement sur nos têtes que sur les leurs.

Oui... généreuses Citoyennes, vous toutes qui m'entendez, armons-nous, allons nous exercer deux ou trois fois par semaine aux Champs-Elysées, ou Champ de la Fédération; ouvrons une liste d'Amazones Françoises; & que toutes celles qui aiment véritablement leur Patrie, viennent s'y inscrire; nous nous réunirons ensuite pour nous concerter sur les moyens d'organiser un Bataillon à l'instar de celui des élèves de la Patrie, des Vieillards ou du Bataillon sacré de Thèbes. En finissant, qu'il me soit permis d'offrir un Etendard tricolore aux Citoyennes du faubourg Saint-Antoine.

Nota. La première Assemblée des Citoyennes se tiendra le lundi 2 avril à cinq heures du soir, dans le local de la Société fraternelle des Minimes, Place Royale.

---

* Théroigne de Méricourt : Anne-Joseph Terwagne est née à Marcourt, en Belgique, dans une famille de fermiers. Chanteuse à Londres jusqu'en 1785, elle s'engage dans la Révolution dès 1789 et fonde avec Romme et Lanthenas le Club des Amies de la Loi en janvier 1790. Active dans les journées d'insurrection d'août 1792, elle est ensuite attaquée (et fouettée en public par les Républicaines Révolutionnaires) en raison de sa fidélité à Brissot. Elle sombre dans la folie et meurt à la Salpêtrière en 1817. *(Note des éditrices.)*

ADRESSE DES CITOYENNES DE LA CAPITALE

PAR 319 D'ENTRE ELLES, LUE PAR PAULINE LÉON *

6 Mars 1792

Adresse individuelle à l'Assemblée Nationale par des Citoyennes de la Capitale

Législateurs,

Des femmes patriotes se présentent devant vous, pour réclamer le droit qu'a tout individu de pourvoir à la défense de sa vie & de sa liberté.

Tout semble nous annoncer un choc violent & prochain : nos pères, nos époux & nos frères seront peut-être les victimes de la fureur de nos ennemis; pourroit-on nous interdire la douceur de les venger, ou de mourir à leurs côtés ? Nous sommes citoyennes; & le sort de la patrie ne sauroit nous être indifférent.

Vos prédécesseurs ont remis le dépôt de la constitution dans nos mains, aussi bien que dans les vôtres : eh !

* Voir note en fin de texte.

comment conserver ce dépôt, si nous n'avons des armes pour le défendre des attaques de ses ennemis ?

Oui, messieurs, ce sont des armes qu'il nous faut ; & nous venons vous demander la permission de nous en procurer. Que notre foiblesse ne soit pas un obstacle : le courage & l'intrépidité y suppléeront ; & l'amour de la patrie, la haine des tyrans nous feront aisément braver tous les dangers. Ne croyez pas cependant que notre dessein soit d'abandonner les soins, toujours chers à nos cœurs, de notre famille & de notre maison, pour courir à la rencontre de l'ennemi.

Non, Messieurs : nous voulons seulement être à même de nous défendre ; vous ne pouvez nous refuser, & la société ne peut nous ôter ce droit que la nature nous donne ; à moins que l'on ne prétende que la Déclaration des Droits n'a point d'application pour les femmes, & qu'elles doivent se laisser égorger comme des agneaux, sans avoir le droit de se défendre ; car, croit-on que les tyrans nous épargneroient ? Non, non : ils se souviendroient des 5 & 6 Octobre 1789... Mais, nous dira-t-on, les hommes sont armés pour vous défendre ; d'accord : mais aussi, répondrons-nous, pourquoi nous priver du droit de concourir à cette défense, & du plaisir de conserver leurs jours aux dépens des nôtres ? Connoissent-ils bien le nombre & la force de nos ennemis cachés ? n'auront-ils qu'un combat à donner ? Notre vie est-elle plus chère que la leur ? Et nos enfans, ne sont-ils pas orphelins par la perte de leurs pères, comme par celle de leurs mères ? Pourquoi donc n'emploieroit-on pas pour terrasser l'aristocratie & le despotisme, toutes les ressources du civisme & du zèle le plus pur, de ce zèle que des hommes froids pourront bien qualifier de fanatisme & d'exagération, mais qui n'est que le résultat naturel d'un cœur brûlant de l'amour du bien public ?

Sans doute, Messieurs, que les plus heureux succès

couronneront la justice de notre cause : eh bien ! alors nous aurons le bonheur d'avoir contribué à la victoire. Mais si, par la ruse de nos ennemis, ou la trahison de quelques-uns des nôtres, la victoire restoit aux méchans, n'y auroit-il pas de la cruauté à nous condamner d'attendre, dans nos maisons, une mort honteuse, & toutes les horreurs qui la précéderoient, ou un malheur plus grand encore, celui de survivre à tout ce que nous avons de plus cher, à notre famille & à notre liberté ?

Non, Messieurs, ne le pensez pas : si, par des raisons que nous ne concevons pas, vous vous refusiez à nos justes demandes, des femmes que vous avez élevées au rang de citoyennes en rendant ce titre à leurs époux, des femmes qui ont goûté les prémices de la liberté, qui ont conçu l'espoir de mettre au monde des hommes libres, & qui ont juré de vivre libres ou mourir ; de telles femmes, dis-je, ne consentiront jamais à donner le jour à des esclaves ; elles mourront plutôt ; elles tiendront leur serment ! ... & un poignard, dirigé contre leur sein, les délivreroit des malheurs de l'esclavage !... Elles mourront, en regrettant, non la vie... mais l'inutilité de leur mort, en regrettant de n'avoir pu, auparavant, tremper leurs mains dans le sang impur des ennemis de la patrie, & venger quelques-uns des leurs !

Mais, Messieurs, détournons la vue de ces cruelles extrémités. Quels que soient la rage & les complots des aristocrates, ils ne réussiront pas à vaincre tout un peuple de frères réunis & armés pour la défense de ses droits. Aussi ne demandons-nous que l'honneur de partager leurs fatigues & leurs glorieux travaux & de faire voir aux tyrans que les femmes aussi ont du sang à répandre pour le service de la patrie en danger.

Messieurs,

Voici ce que nous espérons obtenir de votre justice & de votre équité :

1° La permission de nous procurer des piques, des pistolets & des sabres (même des fusils pour celles qui auroient la force de s'en servir), en nous soumettant aux règlemens de police.

2° De nous assembler les fêtes & dimanches au Champ de la Fédération, ou autres lieux convenables, pour nous exercer à la manœuvre desdites armes.

3° De nommer, pour nous commander, des ci-devant Gardes-Françaises, toujours en nous conformant aux règlemens que la sagesse de M. le Maire nous prescriroit pour le bon ordre & la tranquillité publique.

Signé, Léon, fille, &c.

Suivent trois cents & quelques signatures.

---

* Pauline Léon : Née à Paris en 1768. Elle tient avec sa mère une fabrique de chocolats, rue de Grenelle. Co-fondatrice de la Société des Citoyennes Républicaines Révolutionnaires en mai 1793, dont elle devient la première présidente. En novembre 1793, après l'interdiction des Clubs de femmes, elle redevient chocolatière. Elle épouse l'Enragé Leclerc. Ils seront tous les deux arrêtés en avril 1794 et relâchés en septembre 1794, après la chute de Robespierre. On ignore quelle fut la fin de sa vie. *(Note des éditrices.)*

PÉTITION DE FEMMES A L'ASSEMBLÉE LÉGISLATIVE
PROCÈS VERBAL DE L'ASSEMBLÉE

A LA SUITE DU DISCOURS
D'ETTA PALM D'AELDERS 1er Avril 1792

La ci-devant baronne d'Aelders, hollandaise, accompagnée de quelques autres dames, est admise à la barre. Après un long éloge des vertus féminines, après avoir soutenu que les femmes égalent les hommes en courage, en talent, et les surpassent presque toujours en imagination, elle prie l'Assemblée de prendre en considération l'état d'avilissement auquel se trouvent réduites les femmes, quant aux droits politiques, et réclame pour elles la pleine jouissance des droits naturels dont elles ont été privées par une longue oppression. Pour arriver à ce but, elle demande que les femmes soient admises aux emplois civils et militaires et que l'éducation des jeunes personnes du sexe soit fondée sur les mêmes bases que celle des hommes. Les femmes ont partagé les dangers de la Révolution; pourquoi ne participeraient-elles pas à leurs avantages. Les hommes sont libres enfin, et les femmes sont esclaves de mille préjugés. Elles demandent donc : 1° que l'Assemblée nationale accorde une éducation morale et nationale aux filles; 2° qu'elles soient déclarées majeures à 21 ans; 3° que la liberté politique et l'égalité des droits soient communes aux deux sexes; 4° que le divorce soient décrété.

M. le Président répond aux pétitionnaires que l'Assemblée évitera, dans les lois qu'elle est chargé de faire, tout ce qui pourrait exciter leurs regrets et leurs larmes et leur accorde les honneurs de la séance.

(L'Assemblée renvoie la pétition aux Comités de législation et d'instruction publique réunis.)

DISCOURS DEVANT L'ASSEMBLÉE LÉGISLATIVE

PAR CLAIRE LACOMBE* 25 Juillet 1792

Mme Lacombe, vêtue en amazone, est admise à la barre et s'exprime ainsi.

« Législateurs, Française, artiste et sans place, voilà ce que je suis. Cependant, législateurs, ce qui devrait faire l'objet de mon désespoir répand dans mon âme la joie la plus pure. Ne pouvant venir au secours de ma patrie, que vous avez déclarée en danger, par des sacrifices pécuniaires, je viens lui faire hommage de ma personne. Née avec le courage d'une Romaine et la haine des tyrans, je me tiendrais heureuse de contribuer à leur destruction. Périsse jusqu'au dernier despote ! intrigants, vils esclaves des Néron et des Caligula, puissé-je tous vous anéantir ! et vous mères de famille que je blâmerais de quitter vos enfants pour suivre mon exemple, pendant que je ferai mon devoir en combattant les ennemis de la patrie, remplissez le vôtre en inculquant à vos enfants les sentiments que tout Français doit avoir en naissant, l'amour

* Voir note en fin de texte.

de la liberté et l'horreur des despotes. Ne perdez jamais de vue que, sans les vertus de Véturie, Rome aurait été privée du grand Coriolan.

Législateurs, vous avez déclaré la patrie en danger, mais ce n'est pas assez : destituez de leurs pouvoirs ceux qui seuls ont fait naître ce danger et ont juré la perte de la France. Pouvez-vous laisser à la tête de nos armées ce perfide Catilina, excusable seulement aux yeux de ceux dont il a voulu servir les infâmes projets ? Que tardez-vous pour lancer le décret d'accusation contre lui ? Attendrez-vous que les ennemis, à qui tous les jours il fait livrer nos villes, arrivent dans le Sénat pour le détruire par la hache et le feu ? Vous n'avez qu'à garder encore quelques jours un coupable silence et bientôt vous les verrez dans votre enceinte. Il en est encore temps, législateurs, élevez-vous à la hauteur qui vous appartient ; nommez des chefs à qui nous puissions donner notre confiance ; dites un mot, un seul mot, et les ennemis disparaîtront. »

M. le Président, répondant à Mme Lacombe : *Madame, plus faite pour adoucir les tyrans que pour les combattre, vous offrez de porter les armes pour la liberté. L'Assemblée nationale applaudit à votre patriotisme et vous accorde les honneurs de la séance.*

Un membre : *Je demande la mention honorable et l'impression de cette adresse au procès-verbal.*

(L'Assemblée ordonne la mention honorable et l'impression du discours de Mme Lacombe et de la réponse du Président.)

PÉTITION DE FEMMES DE LA SOCIÉTÉ DES CITOYENNES RÉPUBLICAINES RÉVOLUTIONNAIRES

LUE PAR CLAIRE LACOMBE* 26 Août 1793

Citoyens législateurs,

Justement indignées des prévarications sans nombre qui ont eu lieu dans les ministères, et notamment dans celui de l'intérieur, dont le ministre en a été quitte pour abandonner son poste en donnant sa démission, nous venons vous demander l'exécution des lois constitutionnelles.

Nous ne l'avons pas acceptée des premiers, la Constitution, pour que l'anarchie et le règne des intrigants se prolongent sans cesse. Assez la guerre de calcul a duré; il est temps enfin que les enfants de la liberté se sacrifient pour leur patrie et non pas à l'ambition et à l'orgueil d'un tas de scélérats qui sont à la tête de nos armées. Faites voir par la destitution de tous les nobles que leurs défenseurs ne sont pas parmi vous; empressez-vous sur-

* Voir note en fin de texte.

tout de prouver à la France entière, par des effets, que l'on n'a pas fait venir à grands frais de tous les coins de la République les envoyés d'un grand peuple, pour jouer simplement une scène pathétique au Champ-de-Mars ; montrez-nous que cette Constitution que nous avons cru accepter existe et doit en effet faire notre bonheur, car il ne suffit pas de dire au peuple que son bonheur s'approche, il faut encore qu'il puisse en sentir les effets, et une expérience de quatre ans de malheur lui a appris à se méfier des belles promesses que l'on n'a cessé de lui faire ; il doit voir avec indignation que des hommes gorgés de son or et engraissés du plus pur de son sang, lui prêchent la sobriété et la patience.

Croyez-nous, législateurs, quatre ans de malheur nous ont instruits assez pour savoir démêler l'ambition sous le masque même du patriotisme ; nous ne croyons plus à la vertu de ces hommes qui sont réduits à se louer eux-mêmes ; il nous faut enfin plus que des mots pour que nous croyions que l'ambition ne règne pas dans vos comités. Organisez le gouvernement d'après la Constitution. En vain on nous dirait que la France est perdue par cette mesure, sa perte ne peut être là où la responsabilité des agents n'est plus un vain mot ; là où le ministre prévaricateur serait sûr de porter sa tête sur l'échafaud : enfin nous ne voyons que la perte des intrigants.

Dans un pays où les lois sont strictement observées, voulez-vous que nous croyions que les ennemis de la patrie n'ont pas des défenseurs officieux dans votre sein ? Destituez tous les nobles sans exceptions ; s'il en est quelques-uns parmi eux de bonne foi, ils en donneront la preuve en sacrifiant volontairement au bonheur de leur patrie.

Ne craignez pas de désorganiser l'armée, plus un général a de talents, alors qu'il est mal intentionné, et plus il est urgent de le faire remplacer ; ne faites pas l'injustice aux patriotes de croire qu'il n'est pas parmi eux des hommes capables de commander nos armées; prenez-moi quelqu'un de ces braves militaires dont le talent et le mérite ont été sacrifiés à l'ambition et l'orgueil de la caste ci-devant privilégiée : si sous le règne du despotisme leurs crimes obtenaient la préférence, sous celui de la liberté les vertus doivent l'emporter.

Vous avez rendu un décret par lequel tous les gens suspects doivent être mis en état d'arrestation, mais je vous le demande, cette loi n'est-elle pas dérisoire lorsque ce sont les gens suspects eux-mêmes qui sont tenus de la faire exécuter.

Ah! législateurs, est-ce ainsi que l'on se joue du peuple? Voilà donc cette égalité qui devait faire la base de son bonheur; voilà la récompense des maux incalculables qu'il a soufferts si patiemment. Non, il ne sera pas dit que ce peuple réduit au désespoir sera obligé de se faire justice lui-même. Vous allez la lui rendre en destituant tous les administrateurs coupables, en créant des tribunaux extraordinaires en assez grand nombre pour que le peuple, avant de partir pour les frontières, dise : « Je suis tranquille sur le sort de ma femme et de mes enfants, j'ai vu périr sous le glaive de la loi tous les conspirateurs. »

Décrétez ces mesures, législateurs, et la levée des hommes en masse : vous aurez sauvé la patrie.

Signé : CHAMPION, présidente; LACOMBE, secrétaire; BARRÉ, secrétaire.

Réponse du président : *Les principes généraux que vous énoncez ont été depuis longtemps consacrés par la Convention. Sans doute, sous le masque du patriotisme, vous avez découvert des méchants, des ennemis du peuple; mais ce n'est pas parmi les mères de famille que l'on pourrait les trouver, elles qui conservent leur esprit pour l'exécution des lois et des principes.*

Il est dans cette Assemblée des hommes d'un vrai patriotisme ; il en est beaucoup, et cette Assemblée est au-dessus de toute atteinte ; elle se reposera toujours sur la force du peuple ; elle vous invite aux honneurs de la séance.

---

* Claire Lacombe : Née en 1765, à Pamiers (Ariège), dans une famille de marchands. D'abord comédienne, elle s'installe à Paris en avril 1792 pour s'engager dans la Révolution. Armée, elle prend part à l'assaut des Tuileries le 10 août 1792. Elle devient Présidente du Club des Citoyennes Républicaines Révolutionnaires. Arrêtée le 2 avril 1794, elle n'est libérée que le 10 mai 1795. Elle redevient alors comédienne. *(Note des éditrices.)*

CHRONOLOGIE

1789

1er JANVIER
Pétition des femmes du Tiers-Etat au Roi.
*Cahier de doléances et réclamations des femmes de Mme B*** B***, Pays de Caux.*

26 MARS
Doléances des Dames religieuses de la ville d'Aups.

30 MARS
Plaintes et remontrances des Sœurs pénitentes d'Hondtschoote.
Doléances des Sœurs Grises d'Hondtschoote.

5 MAI
Séance d'ouverture des Etats Généraux à Versailles.

28 MAI
Doléances des marchandes de mode, plumassières fleuristes de Paris.

17 JUIN
Les députés du Tiers-Etat se proclament « Assemblée Nationale ».

20 JUIN
Serment du Jeu de Paume, l'Assemblée Nationale devient Constituante.

23 JUIN
Cahiers de doléances des bouquetières.

14 JUILLET
Prise de la Bastille.

4 AOÛT
Abolition des privilèges et rachat des droits seigneuriaux.

26 AOÛT
Déclaration des Droits de l'homme et du citoyen.

27 AOÛT
Confirmation de la loi Salique.

SEPTEMBRE
Motion à faire et arrêté à prendre dans les différentes classes et corporations de Citoyennes.

5-6 OCTOBRE
Marche des 6 000 femmes suivies de gardes nationaux sur Versailles. Louis XVI est ramené à Paris.

30 NOVEMBRE
Evénement de Paris et de Versailles par Marie-Louise Lenoël, femme Cheret.
Etrennes Nationales des Dames, la M. de M.

22 DÉCEMBRE
Etablissement du Code électoral : les femmes sont exclues du droit de vote, quels que soient leur condition ou leurs revenus.

?
Motions adressées à l'Assemblée Nationale en faveur du sexe.
Mme Bastille, citoyenne Desmoulins.

1790

JANVIER
Théroigne de Méricourt, Romme et Lanthenas créent le Club des Amies de la Loi.

FÉVRIER
Dansard crée la Société fraternelle des Patriotes de l'un et de l'autre sexe.

30 MAI
Création du Club des Jacobins.

AVRIL
Création du Club des Cordeliers : Société des Amis des Droits de l'homme.

3 JUILLET
Publication de « Sur l'Admission des femmes au droit de Cité » de Condorcet.

7 JUILLET
Délibération des Dames citoyennes de Marseille.

12 JUILLET
Constitution civile du Clergé.

7 NOVEMBRE
Le Patriotisme des Dames Citoyennes
Marie Martin.

19 NOVEMBRE
L'imprimerie des femmes
Mme de Bastide.

?
Vues législatives pour les femmes
Mlle Jodin.

30 DÉCEMBRE
Discours sur l'injustice des loix en faveur des hommes aux dépens des femmes.
Etta Palm d'Aelders.

1791

2 MARS
Suppression des corporations de métiers.

23 MARS
La Société des Amies de la Vérité
Etta Palm d'Aelders.

AVRIL
Abolition des droits féodaux.

12 JUIN
Adresse des citoyennes françoises à l'Assemblée Nationale
Etta Palm d'Aelders.

21 JUIN
Fuite du Roi à Varennes et arrestation de la famille royale.

JUILLET
Arrestation d'Etta Palm.

AOÛT-SEPTEMBRE ?
Du sort actuel des femmes.

3 SEPTEMBRE
Vote de la Constitution au suffrage censitaire masculin.

SEPTEMBRE
Déclaration des Droits de la Femme et de la Citoyenne
Olympe de Gouges.

30 SEPTEMBRE
La Constituante se prépare. Début de la Législative.

?
Dénonciation du Sieur André par les Dames Citoyennes de la Section de Saint Martin à Marseille.

?
Pour les droits des enfans naturels, Mme Grandval.

1792

JANVIER-FÉVRIER
Taxations populaires de Paris.

6 MARS
Pauline Léon lit à la Législative une « Adresse à l'Assemblée Nationale » signée par 319 citoyennes de la Capitale.

26 MARS
Discours de Théroigne de Méricourt à la Société Fraternelle des Minimes.

1er AVRIL
Délégation de femmes à la Législative et pétition lue par Etta Palm.

20 AVRIL
Déclaration de guerre à l'Autriche.

11 JUILLET
L'Assemblée déclare « la Patrie en danger ».

25 JUILLET
Discours devant l'Assemblée législative par Claire Lacombe.

10 AOÛT
Insurrection populaire antiroyaliste.
Prise des Tuileries. Chute de la royauté.
Convocation d'une Convention élue au suffrage universel masculin.

SEPTEMBRE
Massacres dans les prisons.

20 SEPTEMBRE
Loi sur le divorce. Les femmes sont admises comme témoins à l'état civil.

21 SEPTEMBRE
Première séance de la Convention.
Proclamation de la République.

1793

21 JANVIER
Exécution de Louis XVI.

10 FÉVRIER
Déclaration de guerre à l'Angleterre.

10 MARS
Création du Tribunal Révolutionnaire.

11 MARS
Début du soulèvement de la Vendée.

6 AVRIL
Formation du Comité de Salut Public.

AVRIL
Publication du *Partisan de l'égalité politique entre les individus* de Guyomard.

30 AVRIL
Exclusion des femmes de l'armée.

10 MAI
Création du Club des Citoyennes Républicaines Révolutionnaires.

31 MAI-2 JUIN
Insurrection à Paris : chute de la Gironde.

13 JUILLET
Assassinat de Marat par Charlotte Corday.

24 JUIN
Vote de la Constitution de l'An I.
Les femmes ne jouissent d'aucun droit politique.

26 AOÛT
Pétition de femmes de la Société des Citoyennes Républicaines révolutionnaires lue par Claire Lacombe à la Convention.

4 SEPTEMBRE
Le Comité de Salut Public décrète :
« La Terreur est mise à l'ordre du jour. »

16 SEPTEMBRE
Claire Lacombe est mise en cause aux Jacobins.

21 SEPTEMBRE
Port de la cocarde obligatoire pour les femmes.
Le gouvernement est déclaré révolutionnaire jusqu'à la paix.

16 OCTOBRE
Exécution de Marie-Antoinette.

20 OCTOBRE
Exécution de 21 députés Girondins.

30 OCTOBRE
A la Convention, rapport Amar du Comité de sûreté générale qui interdit les droits politiques aux femmes et les associations politiques de femmes. D'où dissolution des clubs de femmes.

3 NOVEMBRE
Exécution d'Olympe de Gouges.

8 NOVEMBRE
Exécution de Mme Roland.

15 DÉCEMBRE
Les « Indulgents » mettent en cause la Terreur.

30 DÉCEMBRE
Une délégation de femmes se rend à la Convention pour réclamer la délivrance des suspects détenus injustement.

1794

DÉBUT FÉVRIER
Manifestations des ouvrières des sections.

4 FÉVRIER
Abolition de l'esclavage dans les colonies françaises.

24 MARS
Exécution des hébertistes.

2-3 AVRIL
Arrestation de Claire Lacombe.

5 AVRIL
Exécution des « Indulgents », dont Danton.

27 JUILLET
Arrestation des robespierristes.

29 JUILLET
Exécution de Robespierre et de Saint-Just.

19 NOVEMBRE
Fermeture du Club des Jacobins.

1795

FÉVRIER-MARS
Disette.

27 MARS
Manifestation de femmes à la Convention.

AVRIL-MAI
Famine.

20 MAI
La Convention interdit aux femmes d'entrer dans ses tribunes.

24 MAI
Arrestation de femmes qui ont participé aux manifestations.

30 MAI
Suppression du Tribunal Révolutionnaire.

27 JUIN
Débarquement de royalistes à Quiberon et leur exécution.

18 AOÛT
Libération de Claire Lacombe.

22 AOÛT
Vote de la Constitution de l'An III.

23 SEPTEMBRE
Proclamation du Directoire.

26 OCTOBRE
Fin de la Convention.

Cette chronologie établie par les Editions des femmes s'appuie sur les travaux de Paule Marie DUHET (Les femmes et la Révolution, Julliard, 1971) et Dominique GODINEAU (Citoyennes tricoteuses, Alinéa, 1988).

NOTICES BIBLIOGRAPHIQUES

I. TEXTES DE FEMMES PENDANT LA RÉVOLUTION DE 1789

Les textes ici publiés sont conservés à la Bibliothèque Nationale ou aux Archives Nationales de Paris, ou aux archives des départements.

D'autres textes imprimés y sont disponibles :

DES JOURNAUX DE FEMMES

– *Etrennes nationales des dames*
– *Le véritable ami de la Reine, ou journal des dames*
– *La feuille du soir, par une société de femmes de lettres*
– *Les événements du jour, par une société de citoyennes*
– *La glaneuse citoyenne* (journal conservateur)
– *Annales de l'éducation du sexe* (journal conservateur fondé en 1790 par Mme Mouret)

QUELQUES AUTRES TEXTES DE FEMMES

Anonymes :

- *Lettre d'une citoyenne à son amie*
- *Extraits d'une citoyenne à son amie*
- *Extraits des registres de la municipalité de Saint-Marcellin*
- *Enrôlement des dames citoyennes pour faire la guerre aux ennemis des Français*
- *Discours des citoyennes françaises prononcé à la Société des Amis de la Constitution*
- *Lettre d'une citoyenne à ses concitoyennes de Paris*

Coicy (Mlle)

- *Les femmes comme il convient de les voir*
- *Demande des femmes aux États Généraux*

Dubois (veuve)

- *Adresse aux représentants de la commune de Paris* (1790)

Dupray (Mme)

- *Chanson des dames du marché de St Paul*

Gacon-Dufour (Mme)

- *Mémoire pour le sexe féminin contre le sexe masculin*

Godwin (Marie Wollstonecraft)

- *Défense du droit des femmes* (1792)

Gouges (De) Olympe

- *Œuvres*

Marchand (Mme)

- *La rédactrice du « Journal du Pas de Calais » aux citoyens de la ville d'Arras* (1791)

Palm d'Aelders (Etta)

- *Appel aux Françaises* (1791)
- *Discours lus à la Confédération des Amis de la Vérité*

Peutat (Mme)

- *Discours des citoyennes d'Avalon armées de piques aux armées de la Constitution*

De Staël (Mme)
- *Courte réplique* (1789)
De Vasse (Baronne)
- *Mémoires à l'Assemblée Nationale* (1790)

II. ÉTUDES HISTORIQUES

Maïté Albistur et Daniel Armogathe
- *Histoire du féminisme français*
Des Femmes (1977)
Jeanne Bouvier
- *Les femmes pendant la Révolution*
Éditions Figuière (1931)
F. de Strobl-Ravelsberg
- *Les confessions de Théroigne de Méricourt* (1892)
Paule-Marie Duhet
- *Les femmes et la Révolution 1789-1794*
Julliard (1971)
Albert Soboul
- *Comprendre la Révolution*
Maspero (1981)
Dominique Godineau
- *Citoyennes tricoteuses*
Alinéa (1988)
Elisabeth Roudinesco
- *Théroigne de Méricourt, une femme mélancolique sous la Révolution*
Le Seuil (1989)
Michel Vovelle
- *L'état de la France pendant la Révolution 1789-1799*
La Découverte (1988)

François Furet
- *La Révolution française 1770-1880*
Hachette (1988)
François Furet et Mona Ozouf
- *Dictionnaire critique de la Révolution française*
Flammarion (1988)

Deux ouvrages en anglais :

Carol Bertin et Clara M. Lovett
- *Women, war and revolution*
Éditions Holmes and Meier
Mrs. Levy, Appel-White and Johnson
- *Women in revolutionary Paris 1789-1795*
Illinois Press USA

Une bibliographie générale des études historiques sur cette période figure dans l'ouvrage de Jacques Godechot, *Les révolutions,* éd. PUF Nouvelle Clio.

TABLE DES MATIÈRES

II INITIATIVES ET ACTES DE FEMMES

III L'AFFIRMATION POLITIQUE :
« Et nous aussi, nous sommes des citoyennes. »

IV PRENDRE LES ARMES

Achevé d'imprimer le 3 avril 1989
dans les ateliers de Normandie Impression S.A.
à Alençon (Orne)
N° d'imprimeur : 890246
Dépôt légal : avril 1989